Hipnosis y autohipnosis

Valerio Sanfo

HIPNOSIS
Y
AUTOHIPNOSIS

De Vecchi

DV
ediciones

Traducción de Mónica Monteys Pi.

Selección iconográfica del autor.

© De Vecchi Ediciones, S. A. 2012
Diagonal 519-521, 2° - 08029 Barcelona
Depósito Legal: B-14.997-2012
ISBN: 978-84-315-5282-4

Editorial De Vecchi, S. A. de C. V.
Nogal, 16 Col. Sta. María Ribera
06400 Delegación Cuauhtémoc
México

ÍNDICE

PRÓLOGO

Después del *Trattato di ipnosi* («Tratado de Hipnosis») de 1983 del profesor Franco Granone, utilizado por muchas escuelas de psicoterapia como modelo teórico de referencia, pocas han sido las publicaciones que han surgido sobre el tema.

La hipnosis, como materia de estudio, suele tratarse en algunos libros sobre comunicación (verbal o no verbal), en psicofisiología, en neurolingüística y en psicoterapia cognitivo-conductiva. El libro de Valerio Sanfo viene a llenar un vacío de décadas. Investigador en la materia, científico (recordemos la creación del *biospeaker*, aparato que permite a los vegetales «dialogar» con lenguaje humano) y estudioso de las medicinas tradicionales (ayurveda, tibetana), el doctor Sanfo retoma, con este libro, un discurso interrumpido y propone una actualización sobre los aspectos de la técnica hipnótica, mostrándonos las mejores hipótesis para explicar la sugestión y cómo funciona el inconsciente.

Los capítulos correspondientes a la técnica hipnótica nos presentan válidas indicaciones sobre cómo dirigir, en la práctica, algunas sesiones de hipnosis. El uso de un lenguaje sencillo y que esté al alcance de todo el mundo permite la comprensión de técnicas que pueden ser utilizadas tanto por los estudiosos en la materia como por aquellos que sólo desean adquirir un mayor conocimiento sobre el tema.

La pasión y el entusiasmo que inducen al autor a dedicarse al estudio de la hipnosis desde hace más de treinta años no lo han llevado, sin embargo, a alejarse del método científico y del rigor metodológico, sino que lo estimulan cada vez más a buscar nuevos caminos en la práctica hipnótica. Este libro, además de ser una magnífica contribución para profundizar en el conocimiento sobre la hipnosis, nos muestra una visión muy precisa de sus aplicaciones.

El autor nos invita a indagar sobre los procedimientos sinérgicos y a reflexionar sobre sus métodos y contenidos.

Nos muestra, además, que el estado hipnótico puede conducir al individuo a un reequilibrio de la homeostasis del organismo y a determinar la importancia de una correcta relación temporal entre ecosistema interno (mente-cuerpo) y ecosistema externo (ambiente). En definitiva, quiere indicarnos que la hipnosis no provoca dependencia, sino que ayuda a solucionar numerosas enfermedades psicosomáticas, facilita el desarrollo de la personalidad y potencia la creatividad del individuo.

Un libro útil, necesario, para quien no teme mirarse «dentro», un libro para «crecer» y para «ayudar a crecer».

LUISA COSCIONE
Psicoterapeuta

INTRODUCCIÓN

El pensamiento del sujeto está dirigido por estructuras
de las cuales ignora la existencia
y que, probablemente, determinan no sólo aquello
que es capaz
o incapaz de «hacer»,
sino también aquello que está «obligado» a hacer.

JEAN PIAGET

A lo largo de tantos años de enseñanza y práctica de la hipnosis no clínica (durante casi tres décadas) he intentado comprender en qué consiste exactamente la hipnosis y cuáles son los mecanismos que permiten instaurar en un sujeto un estado no ordinario de conciencia. He pasado por periodos en que todo me parecía claro y por otros en los que cualquier razonamiento lógico y científico no resultaba aplicable.

Hoy, después de treinta años, he llegado a la conclusión de que explicar el estado hipnótico sería como querer explicar qué es el alma, cómo funciona y cómo actúa. Cualquier análisis detallado del «momento hipnótico» es, de hecho, siempre restringido y personal.

Sabemos que la hipnosis es una realidad que se caracteriza por cambios del estado de conciencia, pero el cómo y el porqué se producen estos cambios son problemas que con mucho gusto dejamos en manos de los doctos investigadores teóricos. Existen, es cierto, pruebas irrefutables de determinadas y repetidas reacciones neurofisiológicas que se revelan a través de sofisticados aparatos, aunque lo que en ellos se mide es su aspecto último, aquel de carácter fisiológico, pero la hipnosis es, sin duda, otra cosa...

Desde que J. De Chastenet, marqués de Puységur (1751-1825), definía la hipnosis como «sonambulismo artificial» hasta nuestros días, en los que hacemos uso de sofisticados aparatos de carácter biomédico, continúa sin resolverse el enigma de qué es lo que vive y piensa en el interior de cada hombre. La mejor investigación, además

Una sesión de hipnosis en un grabado del siglo XVIII

de la práctica, es la observación que, a través de la experiencia directa, nos hace comprender aquello que no se puede explicar.

Se trata de dimensiones, pero sobre todo de conocimiento, que, en las páginas de los tratados, se desconoce. A simple vista, la serie de metodologías empleadas para practicar hipnosis es más bien amplia y puede reservar sorpresas.

Hay que preguntarse si algunos fenómenos, como los extrasensoriales, que se analizan en este libro, deben ser considerados como signo de un vacío cognoscitivo del saber científico, o bien como paradigmas, junto con otras muchas posibles explicaciones de carácter metafísico. Numerosos fenómenos que se manifiestan durante el estado hipnótico ponen de relevancia nuestra ignorancia en cuanto a la exploración y el conocimiento de la verdadera constitución del hombre: «El "posible psíquico", como observó ya el psicólogo William James, está muy lejos del ser encerrado, el propio que una mente normal, aunque sea excepcional, produce en condiciones usuales; sin duda existen otras posibilidades y esperamos que estas puedan conocerse cada vez mejor por el interés supremo del ser humano» (F. Granone, 1963).

Conocer la complejidad de las funciones de la mente humana es una tarea que no le corresponde al hombre.

REALIDAD SUBJETIVA

*El hombre será tal
cuando comprenda su verdadera dimensión.*

VALERIO SANFO

Afirmar que la realidad fenoménica es la verdadera realidad porque es verificable y que la realidad psíquica es subjetiva porque no está sujeta a revelaciones es, probablemente, una equivocación. Los fenómenos tienen valor porque todo ser vivo los percibe, lo que realmente cuenta es el sujeto que los percibe y no el fenómeno en sí. Real o no real son los dos extremos de una única manera de ser, y entre estos dos extremos existen numerosos grados intermedios de realidad. Una misma situación puede vivirse en distintas condiciones de realidad y en diversas circunstancias, ya sea debido al ambiente circundante, al estado de ánimo, a la presencia de ciertas personas, etc.

En determinadas situaciones de carácter excepcional, el límite entre lo real y lo no real es tan evanescente que no sabemos si estamos despiertos o soñando; y hasta tal punto eso es cierto que, en algunas ocasiones, creemos que todo ha sido un sueño y que lo que estamos viviendo es una pura alucinación.

Se trata de situaciones excepcionales, pero a fin de cuentas tampoco demasiado raras, y que suelen ser frecuentes en aquellos sujetos que padecen trastornos psíquicos. Realidad fenoménica y realidad psíquica parecen asumir la identidad de dos modos distintos de una relación recíproca. Hay una interioridad que sentimos principalmente en nuestra mente, y hay una realidad externa que tenemos enfrente, fuera de ella.

«El hombre encuentra las cosas y los seres animados en un mundo que incluye a estos últimos y a él mismo. Él está en ese

El experimento de la ilusión de la cuerda tensa en una foto de época

mundo. Sabemos, por la fisiología, que todo este mundo de cosas y de seres existe para él sólo si determinados estímulos hacen mella en sus órganos sensoriales y si, desde ellos, determinadas excitaciones llegan a ciertas zonas de la corteza... De eso podría deducirse que inevitablemente el mundo debe, en verdad, hallarse en algún lugar de la mente del hombre; en ella debería encontrarse lo que el hombre ve y oye, lo que palpa y lo que siente» (Metzger, 1941).

En ese punto surge, espontánea, la pregunta: ¿el hombre está en el mundo externo o bien el mundo está en el interior del hombre? O bien, de un modo más personal: ¿es el mundo el que me contiene o soy yo quien contiene al mundo?

Si el mundo que percibo es el resultado de elaboraciones psíquicas, de informaciones electromagnéticas, bioquímicas y compresoras que yo utilizo como base para construir la realidad, cualquier cosa que yo percibo es completamente inventada y, por lo tanto, el mundo está en mí y yo soy el artífice. Sin embargo, es cierto también que estos datos fenomenológicos son muy útiles y que gracias a ellos yo puedo moverme y vivir en el mundo. Entonces, ¿por qué no aceptar la hipótesis de que existe una relación natural entre fenómenos, sean estos fisiológicos, perceptivos o psíquicos? Para poder comprender mejor esta posibilidad de percepción, leamos una vez más a Metzger: «El evento físico, la estimulación sensorial, la propagación de la excitación a lo largo de los focos nerviosos, el proceso cerebral no existen como tales en la percepción. El hombre y el objeto están uno frente al otro de forma inmediata: en una parte me encuentro yo, en la otra está el objeto, y yo interactúo con él, sin preocuparme y sin sentir la más mínima necesidad de órganos especiales de carácter mediador y de procesos fisiológicos» (ibídem). Los procesos fenomenológico, fisiológico y también psicológico resultan igualmente válidos y, lo más importante, sencillamente recíprocos.

En esta reciprocidad radica la importancia de la relación diádica: observador y observado, mundo para percibir y sujeto que percibe.

Si faltase uno de los dos ya no sería posible establecer una buena reciprocidad. Si una persona tiene dañada una parte del sistema nervioso sensorial, por ejemplo, la visión, ya no le será posible ver el mundo fenoménico, los objetos y la naturaleza, aunque la visión interior (sueños, alucinaciones, imágenes mnemónicas) continuarán, en cambio, manifestándose. Si, por el contrario, la persona tiene dañada el área estriada del cerebro, ya ni siquiera le será posible tener alucinaciones visuales. Así, si creamos la oscuridad completa, pese a tener el sistema sensorial sano, no le será posible percibir el ambiente fenoménico. Dichos ejemplos confirmarían la doble relación necesaria entre hombre y mundo; nos encontramos frente a dos partes iguales e íntimamente unidas que constituyen el inicio y el fin de un proceso. Por norma, entre las dos existe una estrecha correspondencia y sólo en determinadas situaciones, como en el caso de las figuras ambiguas, puede haber confusión, pero dicha confusión está realmente presente en el mundo fenoménico y se evidencia ambiguamente, no es fija y mutable, porque ya lo es desde el punto de vista fenoménico.

Es preciso, sin embargo, no considerar el resultado de la relación entre mundo externo-interno como una simple suma de datos, tales como: estructura atómica más, por ejemplo, ondas electromagnéticas, más reacciones bioelectroquímicas fisiológicas, más sensación psíquica. La percepción es, por el contrario, un resultado que supera la suma de las partes y se presenta sobre un plano «meta» no atribuible al análisis de un determinado componente; todo se halla en la misma línea de la psicología de la Gestalt, es decir, lo que cuenta es el resultado final y no la etapa del trayecto.

«Si los objetos de nuestro mundo fenoménico mantienen con los objetos que tienen realidad, en un primer significado, una relación igual a aquella que se produce entre la imagen y lo que ella representa, estos, desde el punto de vista fenoménico, no tienen el carácter de una imagen, sino que son vividos [...] realidad pura y simple, independientemente del yo» (ibídem).

HIPNOSIS:
EL MÉTODO

*Al profundizar en el estudio sobre
los fenómenos de la naturaleza,
me he persuadido de que nada en ella
ha de considerarse increíble.*

PLINIO

La hipnosis «clásica», aunque sería más correcto llamar «moderna», se basa en el concepto de supremacía del hipnotizador y ahonda en las propias raíces de la Antigüedad. Por *hipnosis moderna* se entiende la práctica del hipnotismo nacida y difundida en el periodo histórico de la Edad Moderna, que abarca desde 1492 a 1815. Fue a finales del siglo XIX cuando la hipnosis entró en la universidad, concretamente marcaron un hito las escuelas francesas de Nancy y de la Salpêtriere. Sin embargo, tuvimos que esperar hasta después de la Segunda Guerra Mundial para que se produjera una apertura completa de los ámbitos científicos a favor de la hipnosis: así nació, pues, la *hipnosis contemporánea*. A la hipnosis moderna se la llama también *hipnosis impositiva* o *directa*, y ello es debido a la aplicación de una serie de test iniciales. Después de la aplicación de estos test, y de su consiguiente verificación, se procede a los test siguientes calibrando los ejercicios que siguen.

La valoración está basada en el nivel de aceptación de la prueba propuesta y sólo su superación satisfactoria permite el acceso al siguiente test, que implicará un mayor compromiso con el estado de coparticipación.

Los distintos test están basados en una escala de carácter jerárquico: a medida que se asciende más se profundiza en el estado hipnótico. Para poder pasar a la fase siguiente es necesario que el sujeto haya superado la precedente. El punto débil de dicha propuesta aplicativa radica en el hecho de que basta con que no se supere una fase para que se interrumpa el proceso hipnótico, no permitiendo de este modo alcanzar el siguiente nivel; cuando esto se produce al inicio de la prueba queda interrumpida la posibilidad de poder conducir al sujeto hasta el estado hipnótico. Sin embargo, cuando la interrupción se produce en las últimas fases, esta denotará que el sujeto ha alcanzado ya un cierto estado hipnótico, en el cual se podrán emplear determinadas aplicaciones, propias de ese nivel hipnótico concreto.

La hipnosis impositiva está basada en la instauración de un comportamiento confiado por parte del sujeto hacia su hipnotizador. La palabra clave es *confianza*, del hipnotizador hacia sí mismo, con el fin de estar a la altura de la tarea que debe desarrollar y del rol que deberá representar; confianza también del sujeto hacia su preceptor, con la total seguridad de que se pone en manos de una persona competente, seria y honesta que lo quiere ayudar a resolver sus problemas o sencillamente ofrecerle la oportunidad de una experiencia fuera de lo común.

Con el término hipnosis *impositiva* se pone de manifiesto el rol de mando por parte del hipnotizador y el de cierta obediencia por parte del sujeto. De hecho, estos roles corresponden a la verdad, y están basados en la confianza mutua y en la implicación de ambos. Durante la sesión, el hipnotizador asume un rol de carácter institucional que le permite aplicar unas reglas que convergen en el sujeto y que este acepta porque resulta determinante la posición social que, en ese momento, ocupa el hipnotizador.

Para comprender mejor esta relación podemos aludir a la que se instaura entre el maestro y el discípulo. Un buen maestro sabe imponerse, porque es el que prodiga aquel conocimiento útil e interesante del cual carece el alumno.

Cuando, sin embargo, es la autohipnosis la que debe practicarse, se produce un desdoblamiento del comportamiento de los roles, es decir, la persona se aplica a sí misma los conocimientos adquiridos en la práctica de la hipnosis y, al mismo tiempo, se comporta como si los desconociese, aceptando las propuestas aplicadas que él mismo se suministra. En la autohipnosis son autoinducidos monoideísmos sugestivos sobre los que el sujeto fija la atención.

Por desgracia, con la autohipnosis resulta difícil alcanzar los niveles profundos del estado hipnótico, aunque dependa de las características individuales, a causa de la conflictividad de los comportamientos de rol que se instauran, pero sobre todo porque el rol del hipnotizador es puramente racional y lógico, mientras que el del hip-

Un experimento de hipnosis en una tabla de mediados del siglo XIX

notizado es notablemente irracional y no lógico, de modo que la racionalidad dificulta la implantación del estado diversificado de conciencia en el sujeto, que es siempre él mismo: hipnotizador e hipnotizado. «Recordemos que en el pasado se definía a la autohipnosis como un pequeño trance» (R. Pavese).

Hay que señalar que las acciones sociales lógicas requieren que el fin objetivo sea igual al subjetivo; mientras que en aquellas no lógicas no hay coherencia entre ambas. Pero así como la comunicación va dirigida a la parte inconsciente, es, en realidad, el «no lógico» el que, huyendo del control de la mente racional, puede provocar los específicos procesos hipnóticos.

La acción social del hipnotizador se manifiesta al suministrar una secuencia intencional de actos, concebidos estos sobre la base de unos determinados postulados, con el fin de alcanzar el objetivo de instaurar, por grados, una serie de estados diversificados de conciencia en los que la realidad subjetiva y los procesos mentales se llevarán a cabo según los esquemas aplicativos.

«En el estado de hipnosis, o de conciencia reducida, se puede hacer creer al sujeto todo aquello que se quiera, incluso las cosas más inverosímiles, siempre y cuando se digan y repitan de forma inteligible. En pleno verano se le puede hacer temblar de frío; si se le da una solución de quinina la agradecerá como si se tratase de una exquisita naranjada; si se le dice que está subiendo por un empinado camino o que está corriendo para alcanzar el tranvía, su respiración y sus pulsaciones serán más frecuentes; si se le da un vaso de agua y se le dice que es aceite de ricino le producirá arcadas y un efecto purgativo, mientras que si se le ofrece un vaso de aceite de ricino como si fuera agua pura, este no ejercerá sobre el sujeto ningún efecto purgativo. Del mismo modo, una comida imaginaria a base de dulces le producirá un considerable aumento del nivel de azúcar en la sangre» (R. Pavese, 1959).

En la «aplicación hipnótica tradicional» las sugestiones verbales están determinadas y pueden considerarse según las siguientes características:

• determinadas según el motivo preestablecido, es decir, el umbral hipnótico que con el test se desea alcanzar;
• determinadas con respecto al nivel de confianza (relación social) que se ha instaurado;
• determinadas con respecto a las características peculiares subjetivas propias de cada individuo.

En cuanto a la finalidad, entiendo la aplicación de determinadas acciones y actos para alcanzar el estado hipnótico necesario. Por ejemplo, sugiriendo al sujeto que no puede mover una determinada extremidad porque está contraída o rígida. Con respecto al nivel de confianza, hay que tener en cuenta el nivel positivo de interacción social, es decir, existe una estrecha relación entre el descenso necesario del umbral de control por parte del otro, en general, y el grado de confianza que el sujeto deposita en el hipnotizador.

Un test de grado particularmente alto no se puede aplicar cuando el nivel de confianza es bajo. Por ejemplo, la ejecución de una orden poshipnótica requiere mucha confianza.

Por último, es preciso tener siempre presentes las características subjetivas de cada individuo; no nos podemos basar en la aplicación de unos postulados fijos y repetitivos. Cada individuo quiere que lo traten según sus características personales. Por eso, el «camino hipnótico» deberá ser tenido siempre en cuenta.

Las modalidades aplicativas de la hipnosis impositiva tienen, pues, siempre en cuenta las puntas salientes de la personalidad del sujeto y, por ello, en cada caso en concreto se aplica un método adecuado.

En definitiva, podemos dividir la hipnosis impositiva en dos métodos principales: el suave y el enérgico.

Método suave

Tono de voz moderado, amigable, participativo. Decir: lo haremos juntos..., estableceremos una relación hipnótica... El sujeto debe sentirse un colaborador, un amigo. Se aplica a sujetos que se consideran tímidos e inseguros pero que, en el fondo, son personas que no aceptan las imposiciones.

Método enérgico

Órdenes contundentes y, algunas veces, bruscas, tono de voz alto. Se debe aplicar a aquellos que están muy seguros de sí mismos o, por el contrario, que son muy inseguros, es decir, que precisan ser guiados con contundencia.

Hipnosis paradójica

En la hipnosis paradójica, la acción del hipnotizador es aquella cuyo acto se considera realizado por un individuo de manera intencionada, con carácter gratificante o sancionador en tiempos variables (anómalos) y con el fin intencionado de manipular la atención del sujeto y modificar, por breve tiempo, los parámetros del estado de conciencia.

En los últimos años la práctica hipnótica ha cambiado considerablemente, y el método impositivo, basado sobre todo en el empleo de las sugestiones verbales, se ha decantado hacia el uso de la comunicación no verbal, a través de la cual el hipnotizador provoca un estado tensorial en el sujeto con su consecuente conflictividad, que es descargada gratificando al hipnotizador mediante la aceptación de los parámetros psíquicos propuestos.

Esta misma técnica ha sufrido algunas modificaciones y se basa principalmente en las informaciones que el hipnotizador emite, pero que no suministra verbalmente. Dichas informaciones son sugeridas al sujeto en forma de un código analógico llamado metacomunicacional.

En algunos casos, son muchos los investigadores que atribuyen a la hipnosis un valor exclusivamente paradójico. Con ese propósito, J. Haley escribió en 1973: «El hipnotizador dirige a la otra persona hacia un cambio espontáneo de su comportamiento. Puesto que una persona no puede responder espontáneamente, se sigue una directriz, por lo que la propuesta hipnótica está basada en una paradoja». En efecto, la práctica hipnótica se basa en pedirle al sujeto que haga aquello que normalmente no haría, por ejemplo, que realice un movimiento involuntariamente, es decir, en contra de su propia voluntad.

Las cuatro orientaciones

Cuando se habla de hipnosis, normalmente nos referimos a una práctica basada en modelos que, a fin de cuentas y más o menos directamente, se remontan a conocimientos científicos y psicológicos. Sin embargo, la historia de la hipnosis es indescifrable y no se puede fechar, ya que se trata de un arte y no de una metodología. Teniendo en cuenta la cantidad de información que hay al respecto, podemos subdividir la historia de la hipnosis en cuatro momentos que conducen a las siguientes orientaciones:

- mágico-religiosa;
- magnético-fluida;
- psicológica;
- neurofisiológica.

Su proceder sigue de cerca los cambios producidos en el ambiente general de la ciencia y, en particular, de la medicina: desde una adhesión a las fuerzas divinas al uso de las energías vitales; de la valoración de las características de la psique hasta el puro fenómeno bioquímico de cada reacción humana.

El cambio gradual de la propuesta de valoración del estado hipnótico y de las relativas prácticas inductivas ha ido negando poco a poco el aspecto místico y metafísico —considerado como un periodo infantil, fantasioso e ignorante—, hacia un modelo cada vez más culto, profano, académico y neurofisiológico.

Orientación mágico-religiosa

Se desconoce el inicio del periodo mágico-religioso, pero sí podemos fijar su declive a finales del siglo XIX. Algunos, erróneamente, rastrean en la Biblia la práctica hipnótica cada vez que se habla de sueño; otros, sin embargo, creen advertir escenarios hipnóticos en la antigua Grecia, como, por ejemplo, en el templo de Esculapio, donde, en un ambiente muy sugestivo, se producían numerosas curaciones. Seguramente no es nuestra tarea profundizar en el tema de la presencia de la conducción hipnótica en el periodo antiguo, pero, personalmente, creo que no es posible conocer los procesos mentales y los estados no ordinarios de conciencia que se establecieron en el pasado.

Con el tiempo, las relaciones sociales han cambiado y, tal como nos muestra la antropología y la sociología, hemos pasado poco a poco de una sociedad concebida como un organismo biológico a una continua y mayor especialización, es decir, de una sociedad mecanizada con intercambio de los individuos, a una sociedad orgánica con diversificaciones y especializaciones individuales.

En el pasado reinaba una conciencia colectiva en la que los fenómenos sociales se daban de forma distinta a la de ahora. Antiguamente no estaba clara la división entre la vigilia, el sueño y el trance; estos estados no estaban bien definidos. Lo que afirmaba la sociedad era indiscutible, además prevalecía la sensibilidad por lo sobrenatural. He aquí, pues, por qué no es posible comparar el estado hipnótico actual con lo que, en el pasado, fue probablemente algo muy distinto.

Orientación magnético-fluida

Este periodo representa el paso gradual del mundo mágico hacia el mundo moderno. En él se entrelazan reminiscencias esotéricas, pero lo que realmente lo distingue es la idea de la existencia de un fluido misterioso, la causa primera de toda función vital. El personaje de referencia es seguramente Paracelso (1493-1541), pero el que le dio consistencia a dicho pensamiento fue el médico alemán Franz Anton Mesmer (1734-1815), con el empleo de lo que él mismo denominó

Franz Anton Mesmer en un grabado del siglo XVIII

Mesmer realizando un tratamiento de grupo

magnetismo animal para distinguirlo de aquel mineral de la calamita. Este inducía a las personas a un sueño particular (sueño *mesmeriano*) dirigiendo con las manos y la mirada el fluido magnético, cuya acción se desarrollaba en el interior de espacios solemnes.

Una caricatura sobre el poder del fluido magnético y el magnetismo animal

Una sesión de
mesmerización

En los tratamientos
mesméricos participaban
personas de clase alta,
tal como muestra este
grabado humorístico
del siglo XVIII

No deseamos profundizar en el mesmerismo porque para ello necesitaríamos mucho espacio, pero sí podemos definir a Mesmer como el precursor actual del hipnotismo; entre otras cosas él fue el creador de numerosos valores a los que, de un modo directo o indirecto, aún hoy se hace referencia.

Orientación psicológica

El término *hipnosis* fue acuñado en el año 1843 por James Braid (1795-1860), que empleó equivocadamente la palabra griega *hypnos*, que literalmente quiere decir «sueño», mientras que la hipnosis no tiene nada que ver con eso.

James Braid, inventor del término *hipnosis*

Braid era un cirujano oculista y médico en las minas que se interesó por la hipnosis —en aquel entonces aún no se llamaba así—, al observar las demostraciones teatrales del abad portugués José Custódio de Faria (1776-1819), el cual llamaba al estado hipnótico *sueño brillante* para determinar que no era debido a un misterioso fluido por lo que se producían cambios de comportamiento aparentemente parecidos a los del sueño.

Braid llamó a este fenómeno *sueño nervioso*. Así nació la explicación del *monoideísmo*, que consideraba que la concentración sobre un determinado objeto o una idea era la causa principal de la inducción hipnótica.

Sus estudios se basaron en la neurología y recurrió a los modelos científico-médicos para explicar lo que erróneamente se llamaba *sueño hipnótico*. Utilizó la hipnosis con fines terapéuticos en las enfermedades nerviosas y recurrió a la analgesia hipnótica.

Sometió también sus investigaciones al juicio de la Academia médica británica, la cual rechazó examinarlas.

En 1882, Jean Martin Charcot (1825-1893), director de la Salpêtrière, introdujo la hipnosis en el ámbito académico y la definió como una neurosis fácilmente localizable en los sujetos histéricos. Pasó a la historia como el fundador del «gran hipnotismo» y dividió el sueño hipnótico en varias fases progresivas.

Un personaje que hay que destacar en el ámbito psicológico fue Sigmund Freud (1856-1939), discípulo de Charcot, que vio en los fenómenos hipnóticos «la represión de los instintos» y su proyección hacia el hipnotizador.

Freud inició su carrera de terapeuta con la hipnosis, que seguidamente abandonó para profundizar en el método asociativo que hoy en día todos conocemos, aunque en su libro *Teoría psicoanalítica* (1918) escribió: «La aplicación de nuestra técnica a muchos enfermos nos obligará a unir el oro puro del análisis con el cobre de la sugestión, y la influencia hipnótica podrá también tener un lugar, tal como sucede en los tratamientos de las neurosis de guerra».

Otro personaje importante en la orientación psicológica fue el francés Liébeault (1823-1905), que observó que entre el terapeuta y el sujeto se establecía una relación exclusiva, pese a que el estado hipnótico sea el resultado de una autosugestión guiada desde el exterior.

Más tarde, Liébeault e Hippolyte Bernheim (1840-1919) demostraron que todos los sucesos hipnóticos eran debidos a la sugestión verbal, y definieron el sueño hipnótico como un «estado psíquico particular». Bernheim se opuso a la hipótesis formulada por Charcot sobre el hipnotismo. Junto a Liébeault formó la famosa Escuela de Nancy, en donde se definió la hipnosis como un estado de sugestión exaltado que reside en cada individuo. Para Bernheim, «los llamados fenómenos hipnóticos existen sin sueño, si se entiende, con este término, el sueño provocado». Las distintas respuestas a las inducciones comportan investigar en los diversos grados de susceptibilidad, basada esta en los factores constitucionales y en el grado de intervención del terapeuta.

Pierre Janet (1859-1947), además de intervenir sobre la mente, decidió actuar partiendo del cuerpo. En 1889, Janet, Charcot y Ribot organizaron el primer congreso dedicado al hipnotismo. Con Janet, la orientación psicológica se decanta hacia la esfera psiquiátrica.

Orientación neurofisiológica

Durante estos últimos años el pensamiento positivista ha intentado encontrar respuestas científicas neurofisiológicas en el estado hipnótico, preanunciadas ya por el ruso Iván Petrovic Pavlov, que barajaba la hipótesis sobre la excitación de ciertas áreas del cerebro en relación con determinadas sugestiones.

En el ámbito neurofisiológico se considera que las sugestiones verbales del hipnotizador modifican ciertas funciones del cerebro. Las investigaciones, partiendo del estudio de los procesos mentales, se han orientado hacia aquellos de carácter nervioso.

Mediante la utilización de la PET (la tomografía y emisión de positrones) se ha observado cómo las vivencias mentales en el estado hipnótico activan los mismos recorridos neuronales de una vivencia real.

El empleo de aparatos de carácter biomédico y de exámenes clínicos ha demostrado que en el estado hipnótico varían muchos parámetros biológicos, como por ejemplo el incremento de sustancias opiáceas endógenas, tales como las endorfinas y las encefalinas.

Además, la medicina suele recurrir al empleo de fármacos adecuados para favorecer el estado hipnótico.

Con esta finalidad se utilizan fármacos a base de escopolamina y, en general, narcóticos barbitúricos en lo que se denomina la «técnica hipnótica química». En 1881, Chambard ya utilizó el cloroformo y el éter en pequeñas dosis para inducir al sujeto al estado hipnótico.

Debemos señalar que en este breve panorama histórico no se han mencionado influyentes personajes que forman parte de la historia del hipnotismo (Kubie, Delure, Bertrand, etc.), por lo que para una mayor profundización sobre el tema aconsejamos leer obras específicas.

Profundidad del estado hipnótico

A lo largo del tiempo, numerosos investigadores han intentado establecer los niveles de profundidad del estado hipnótico, llamado a menudo *sueño hipnótico*, con el fin de descubrir indicadores selectivos que resultaran útiles en la valoración de los fenómenos hipnóticos.

En sí mismo, el concepto de *profundidad* es equivocado, porque la idea de una dimensión de profundidad de un estado de conciencia sólo es útil para fines descriptivos, lo que pone en evidencia el hecho de tener que recurrir a un modelo que permita describir y catalogar en orden jerárquico aquello que durante una sesión hipnótica es observable. El término *profundidad* alude al concepto de cantidad, que seguramente no es aplicable al de experiencias mentales.

El ojo era el principal agente de fluido mesmérico

Ivan Petrovic Pavlov, fisiólogo interesado en profundidad en los reflejos condicionados de los animales, una etapa fundamental en la historia de la hipnosis

En buena medida, a través del concepto de profundidad del estado hipnótico, se sistematizan las diferentes intensidades observables de los fenómenos hipnóticos. Las numerosas «escalas de valores» son útiles como referencias en el ámbito de la investigación comparada o por necesidad descriptiva. A finales del siglo XIX, la profundidad del estado hipnótico y los relativos cambios psicológicos eran calificados, empleando la terminología de aquel entonces, de tanteos de las cogniciones hipnóticas referentes a Mesmer, Puységur, Faria, Noiset, Lafontaine, Richet y Charcot.

El esquema de la página siguiente muestra el cuadro del hipnotismo sugestivo o magnético-hipnótico extraído del libro *El hipnotismo y el medianismo*, 1901.

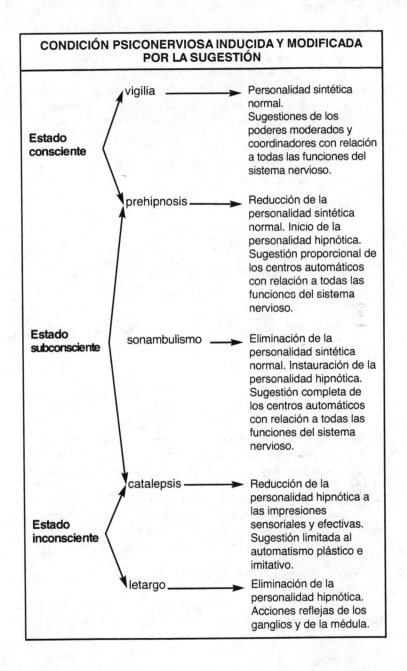

CONDICIÓN PSICONERVIOSA INDUCIDA Y MODIFICADA POR LA SUGESTIÓN

Estado consciente

vigilia → Personalidad sintética normal. Sugestiones de los poderes moderados y coordinadores con relación a todas las funciones del sistema nervioso.

prehipnosis → Reducción de la personalidad sintética normal. Inicio de la personalidad hipnótica. Sugestión proporcional de los centros automáticos con relación a todas las funciones del sistema nervioso.

Estado subconsciente

sonambulismo → Eliminación de la personalidad sintética normal. Instauración de la personalidad hipnótica. Sugestión completa de los centros automáticos con relación a todas las funciones del sistema nervioso.

Estado inconsciente

catalepsis → Reducción de la personalidad hipnótica a las impresiones sensoriales y efectivas. Sugestión limitada al automatismo plástico e imitativo.

letargo → Eliminación de la personalidad hipnótica. Acciones reflejas de los ganglios y de la médula.

Hasta el periodo de Braid, la hipnosis se relacionaba con la histeria, hasta el punto de clasificar el *sueño hipnótico* de morboso y artificial. La idea de que los histéricos fueran individuos más idóneos para la hipnosis y de que esta indujese a manifestaciones histéricas estaba relacionada con el entonces concepto del fluido magnético emitido por el hipnotizador, lo que se denominaba *magnetohipnotismo*.

Recordemos que la histeria se consideraba una afección psíquica propia de las mujeres, hasta el punto de que la palabra deriva de *hystéra*, que quiere decir «útero».

A continuación exponemos el cuadro del hipnotismo, según las creencias de la época:

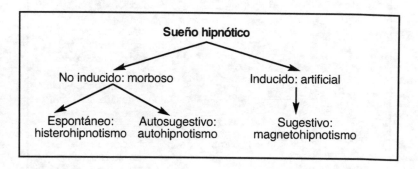

Charcot, en el año académico 1884-1885, dividió el sueño hipnótico en tres estados: letargo, catalepsia y sonambulismo.

En el estado letárgico, inducido con el método de la fijación o con los pasos magnéticos, se obtiene la hiperexcitabilidad neuromuscular; es decir, si se actúa mecánicamente sobre un determinado músculo, por ejemplo ejerciendo presión, se obtiene una contracción temporal, debido al nervio que la gobierna. En el estado de letargo, los fenómenos son de naturaleza refleja, con dinamismo casual de orden físico.

En el estado cataléptico actúan respuestas propias de la naturaleza específica del estímulo; por ejemplo, desde la inmovilidad de una parte del cuerpo hasta la catalepsia total que Charcot llamaba *rigidez cadavérica*.

En el tercer estado, el de sonambulismo, se obtiene la hiperexcitabilidad sensorial.

En este nivel se pueden modificar numerosas actividades fisiológicas; por ejemplo, se puede provocar la anestesia completa o bien alucinaciones de cualquier tipo, y además se puede programar al su-

Charcot (el primero de la izquierda) durante una lección práctica sobre el tratamiento hipnótico

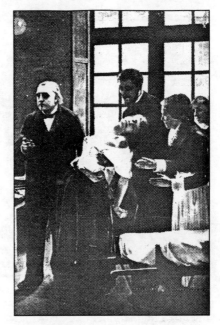

jeto impartiéndole órdenes que se manifestarán en la fase poshipnótica.

Los niveles de profundidad del estado hipnótico fueron, en un pasado, subdivididos entre cuatro y nueve estados. Sin embargo, en 1947, Roberto Pavese los clasificó en tres principales:

1. Estado subhipnótico: correspondiente al primer grado de la escala de Bernheim, en el que se produce la somnolencia con atenuación de la voluntad y del autocontrol.

2. Estado cataléptico: correspondiente al segundo grado de la escala de Bernheim, en el que el sujeto presenta un sueño ligero. En este estado, el sujeto se comporta como un autómata y acepta todo lo que se le sugiere.

3. Estado letárgico: corresponde al tercer grado de la escala de Bernheim, en el cual se presenta un sueño profundo y la personalidad del hipnotizado ha sido sustituida por otra secundaria, con supresión de la propia personalidad psíquica.

Freud, en su obra *Hipnotismo y sugestión* y haciendo referencia a August Forel en su texto *El hipnotismo* (1889), indica aquello que según Forel formaba parte de las posibilidades conductivas hipnóticas: «La posibilidad de conducir a una persona a una determinada condición psíquica (o mejor, del cerebro), parecida al sueño, constituye el aspecto fundamental del hipnotismo».

A esta condición se la denomina *hipnosis*. Un segundo grupo de hechos guarda relación con el modo como se puede provocar, o suprimir, dicha condición.

Para ello parece ser que se pueden emplear tres sistemas: mediante la influencia psíquica de una persona sobre otra (sugestión); mediante la influencia (fisiológica) de algunos procedimientos (fijación) como el imán, la mano, etc; y mediante la autosugestión (autohipnosis). Los momentos de la inducción en la hipnosis:

- relajación psicofísica;
- focalización sobre la voz del terapeuta;
- aceptación pasiva de cualquier información;
- asociación al estado de sueño;
- convencimiento de que el sueño es particular (porque permite la actuación);
- aceptación y respuesta a cada sugestión propuesta;
- resolución del estado hipnótico a través de los procesos de deshipnotización.

Características del estado hipnótico (según Tart, modificado):

- mente tranquila, subsistemas fundamentales de la conciencia inactivos o modificados;
- sensibilidad ante las sugerencias con mayor atención y conocimiento, con incremento de la realidad experimental;
- inclusión del hipnotizador en el subsistema del sentido de identidad del yo del sujeto.

En la tabla elaborada por Davis y Husband, la profundidad de los niveles hipnóticos se halla subdividida en 30 grados, llamados *tipos de trance*, a cada uno de los cuales le corresponde una representación sintomática.

TIPOS DE TRANCE SEGÚN DAVIS Y HUSBAND
0 ninguno
2 relajación
3 movimiento de los párpados
4 cierre de los ojos
5 relajación física completa
6 catalepsia ocular
7 catalepsia de las extremidades
10 catalepsia rígida
11 anestesia (mano de guante)

(continuación)

13 amnesia parcial

15 amnesia poshipnótica

17 cambio de personalidad
18 simples sugestiones poshipnóticas

20 ilusiones cinestésicas - amnesia total
21 capacidad de abrir los ojos sin modificar el trance

23 sugestiones poshipnóticas espectaculares

25 sonambulismo completo
26 alucinaciones visuales positivas poshipnóticas
27 alucinaciones auditivas positivas poshipnóticas
28 amnesia poshipnótica sistematizada
29 alucinaciones auditivas negativas
30 alucinaciones visuales negativas, hiperestesia.

Catalepsia

El término *catalepsia* ha asumido a lo largo del tiempo numerosos significados, hasta el punto de definir, en un pasado, un estadio intermedio de profundidad del nivel hipnótico. Para Charcot, como hemos visto anteriormente, el estado cataléptico era el que venía a continuación del letárgico y el que precedía al de sonambulismo.

En el estado cataléptico se presentaba una acentuada hiperexcitabilidad de carácter nervioso muscular con el correspondiente estado de aislamiento psíquico de tipo «disociativo mental», en el que aparecía una reducción del campo de la conciencia con una disociación de las funciones neuromusculares afectadas, que se comportaban como si estuvieran aisladas del sistema nervioso. La hiperexcitabilidad neuromuscular era así descrita por Scozzi en 1904: «Si se actúa mecánicamente sobre un determinado músculo o sobre un sistema de músculos se produce su contracción temporal; si se actúa sobre un nervio ejerciendo una ligera presión, se produce la contracción de los músculos que se hallan bajo la dependencia de aquel nervio». Una cosa es cierta:

el grado de rendición y de resistencia física de un sujeto en estado cataléptico no se puede alcanzar en el estado de vigilia. El test más representativo consiste en extender al sujeto solamente con la nuca y sus talones apoyados sobre unos soportes, en lo que se denomina como *catalepsia puente*, muy usada en el hipnotismo teatral. Para F. Granone «en la catalepsia aumenta el tono subcorticoespinal hasta adquirir aquella forma particular de contracción que permite a los músculos mantener, durante un tiempo más o menos largo, la posición proporcionada por ellos» (1989). La catalepsia se atiene al principio que reza: «Cualquier actividad muscular voluntaria puede, en hipnosis, ser modificada». En general, cualquier fenómeno hipnótico en el que actúa una contracción muscular a través de la sugestión puede considerarse un estado cataléptico, desde la rigidez de un dedo hasta todos los músculos del cuerpo.

En la Escuela de la Salpêtrière se creía que la utilización de un imán podía provocar la contracción muscular, y el punto fuerte de su actuación consistía en provocar la famosa «transferencia». Así, por ejemplo, un sujeto que presentaba la extremidad superior izquierda contraída, al colocarle una calamita en la extremidad derecha, esta se ponía rígida, mientras que la izquierda, que estaba contraída, se relajaba.

Bernheim constató que, por lo que respectaba a la acción del imán y la experiencia de la «transferencia», la Escuela de la Salpêtrière se equivocaba. En ese sentido demostró que se tra-

Ataque de crucifixión estática en una paciente del Salpêtrière de París en una foto de época

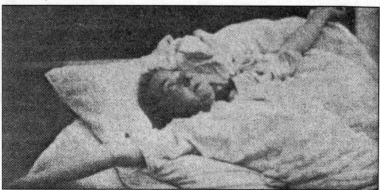

taba de una pura sugestión, y que la explicación debía buscarse en la reactividad sensorial del hipnotizado, el cual se mostraba reactivo a los ruidos más leves y era capaz de comprender que en aquel momento se le colocaba un imán en la extremidad relajada, sabiendo a priori que debería invertir la acción: de ese modo obedecía, pese a no darse cuenta de ello.

Un interesante experimento, relacionado con la hipersensibilidad de la acción mecánica de los músculos en un estado diversificado de conciencia, fue desarrollado por el doctor Giulio Belfiore y plasmado en el texto *El hipnotismo y los estados afines* publicado en 1881.

Dicho experimento, llamado *del Dumontpallier* es recuperado por Scozzi en su libro *El hipnotismo y el medianismo*, que constituye una fuente excepcional por las numerosas citas referidas al ámbito del hipnotismo:

«El impacto aéreo que se produce en los fenómenos del sueño cubriría toda la periferia cutánea del sujeto y sería advertido de ello por toda la superficie; mejor aún por determinadas zonas dotadas de una mayor sensibilidad; incluso, tal vez, por la oreja. Sin embargo, la acción sería siempre la de un impulso táctil que excitaría los simples poderes reflejos del bulbo y de la médula. Hay una prueba de ello en el experimento del Dumontpallier. Al aplicar la extremidad de un tubo de goma de seis metros de largo al músculo de la tibia de una histérica, en estado de letargo, y colocar el otro extremo cerca de un reloj, se pudo constatar que el músculo se contraía a cada tic tac del reloj.

»El sujeto tenía en aquel punto de la pierna una zona histerógena sobre la que, a una distancia de seis metros, junto con el tic tac del reloj como ruido y, por lo tanto, como agente heterogéneo con respecto a la zona, llegaba la propagación mecánica del tic tac en forma táctil y, por lo mismo, en forma homogénea a la funcionalidad de la propia zona.

»En el estado de letargo, al estar fuera de acción cualquier virtualidad consciente de la psique, no puede hablarse, de hecho, de sugestión. No se producen más que fenómenos reflejos, cuyo dinamismo casual es de orden físico; y su repercusión pertenece a un orden biológico tan elemental como para confundirse fácilmente con una repercusión de orden físico» (1901).

Un cambio del tono muscular que no debe confundirse con la catalepsia es el denominado *catatónico*. En ese caso el sujeto es el mismo en asumir unas determinadas posturas corporales que mantiene durante un largo tiempo, como si se hubiese convertido en una estatua.

Procedimiento jerárquico conductivo (según los postulados propuestos en este texto):

EL PODER
DEL INCONSCIENTE

> *El inconsciente es el signo del poder creador,*
> *el consciente es el de la habilidad;*
> *el inconsciente es infinito e inagotable,*
> *y forma aquella zona misteriosa de la que se brota toda la poesía*
> *y de donde provienen todas las religiones y las sociologías.*
>
> THOMAS CARLYLE

El título de este capítulo es realmente altisonante debido al empleo de la palabra *poder*; en realidad, la semejanza querer/poder guarda relación con el propósito de este capítulo. A menudo se emplea el término *inconsciente* en contraposición a la estructura de la parte consciente de nuestra psique. Los modelos propuestos para explicar el inconsciente son muchos, pero ninguno de ellos satisface plenamente las expectativas de la conciencia. Si ya es una tarea ardua establecer cuáles son las características y los procesos de la conciencia, más arduo aún resulta cuando se habla de aquello que no se conoce, como es el caso del inconsciente. Freud había sembrado ya el dilema: «¿Cómo podemos llegar a conocer el inconsciente? Naturalmente, lo conocemos sólo de una forma consciente, después de que haya sufrido una transformación o un desciframiento en algo consciente». Por lo tanto, el propio descubridor del inconsciente comprendió la imposibilidad de su conocimiento y llegó a la conclusión de que el inconsciente se presenta como un sistema energético y como lógica. Jean Piaget (1896-1980) se refirió a un «inconsciente afectivo» y a un «inconsciente cognitivo», y a propósito de este último escribió: «El inconsciente cognitivo consiste en un conjunto de estructuras y de funcionamientos ignorados por el sujeto, salvo por los resultados» (1970). Para poder traducir fragmentos del inconsciente, sólo se puede hacer a nivel de la conciencia. Por eso la hipnosis (pero no sólo la hipnosis) ofrece la oportunidad para desentrañar esta parte inmensa de nuestra realidad psíquica. Dicho de otra manera, para poder conocer el potencial del inconsciente es pre-

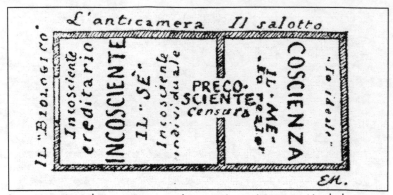

La conciencia y el inconsciente, según una primera interpretación dada por Freud, son representados como «habitaciones»

ciso saber antes qué se entiende por conciencia ordinaria. Por desgracia, este objetivo peca de presunción y, como ocurre a menudo, debemos contentarnos con fragmentos de la verdad, es decir, con simples verosimilitudes. Con ello, hay que señalar que el estado de conciencia ordinario es considerado el estado de conciencia de base.

La conciencia nunca está estabilizada sino que siempre es fluctuante; es, además, notablemente compleja y está compuesta por un gran número de estados discretos. Según Charles T. Tart (1977), un estado discreto de la conciencia se estabiliza a través de cuatro procesos:

1. estabilización de carga (atención/concienciación);
2. estabilización por *feedback* negativo (corrigiendo el funcionamiento de estructuras/subsistemas);
3. estabilización por *feedback* positivo (reforzando y suministrando experiencias gratificantes);
4. estabilización por restricción (limitando la gama).

La conciencia se presenta como un sistema de partes interaccionadas y recíprocas. El primer postulado para tratar la conciencia es la concienciación o, mejor dicho, la autoconcienciación. Sólo a través de ella se puede conocer el contenido del inconsciente.

La atención consciente permite modificar el estado de conciencia para poder rescatar parte de aquello que es inconsciente. «La posibilidad de abrir y desarrollar las potencialidades latentes más allá de la norma cultural, de adentrarse en un estado de conciencia alterado, reestructurando provisionalmente la conciencia, es la base del enorme interés actual por estos estados» (Charles T. Tart, 1977).

En su libro *Estados de conciencia*, del cual ha sido extraída la cita, Tart rechaza el término *conciencia alterada* ya que, entre otras cosas, presenta una connotación negativa, y sugiere recurrir a la expresión *estado de conciencia discreto* explicando que es «una estructura o configuración singular y dinámica de estructuras psicológicas, un sistema activo de subsistemas psicológicos» (ibídem). En este libro recurrimos sobre todo a la expresión *estado diversificado de conciencia*, pese a que han aparecido otras denominaciones para los estados de conciencia: no ordinarios, reducidos, otros, no comunes...

Con este propósito es importante hacer hincapié en algunas reflexiones sobre cómo diversificar la conciencia del inconsciente, sabiendo de antemano que eso no es posible. Postulados, directrices, experimentos, son secuencias absurdas aplicadas a una investigación que sólo puede concebirse sobre un plano metafísico, desde el momento en que real e irreal son elementos psíquicos fluctuantes entre sí. De este modo podemos afirmar que el estado de conciencia ordinaria es un estado de ilusión: «Si un sueño y su ambiente y su imagen durasen cada noche con la misma duración que en el estado de vigilia diurno, el individuo no lograría discernir cuál de las dos sería su verdadera vida» (R. Pavese, 1959). Para poder adentrarnos en el inconsciente, si es que este existe, tenemos a nuestra disposición algunas estrategias mentales, como las sugestiones, la voluntad, las asociaciones, la imaginación, o bien podemos recurrir a prácticas y disciplinas como la hipnosis, la meditación, la dinámica mental, etc., teniendo en cuenta que muchas de las dinámicas que permiten el contacto con el inconsciente se desarrollan espontáneamente, por ejemplo a través de los trances chamánicos y de la mística en general. Una interesante propuesta acerca de la interpretación de la calidad del inconsciente es la que ofrece Mateo Blanco en su libro *Inconscio come insieme infiniti* («Inconsciente como conjuntos infinitos») (1981), en donde expone la teoría del pensamiento «simétrico» del inconsciente. Este modelo puede utilizarse también para explicar algunos sucesos de la hipnosis. La dicotomía consciente/inconsciente aparece clara y sin posibilidad de inversión: consciente es aquello de lo que tenemos conciencia, e inconsciente es aquello que está fragmentado, ocultado por la mente. Blanco, como psicoanalista y epistemólogo, desarrolla la idea de inversión de los factores, tal como sucede con la imagen virtual incongruente de una mano vista en el espejo. El resultado conduce a desentrañar aquello que está oculto en el inconsciente: por ejemplo, la parte consciente, controlada por el superyó, trata cada elemento de un conjunto y lo somete a control, mientras que el inconsciente hace exactamente lo contrario: trata una cosa individual como si fuera un conjunto. Mateo Blanco establece, a propósito de la «simetría», dos principios fundamentales: el principio de generalización y el principio de simetría.

En el principio de generalización, el inconsciente relaciona cualquier cosa con un conjunto y cada subconjunto con grupos, y así sucesivamente. Sin embargo, el inconsciente no puede aislar o fraccionar.

En el principio de simetría, hallamos los conceptos de especulación y de inversión, con la peculiaridad de que el inconsciente trata cualquier relación inversa como si fuese idéntica. Por ejemplo, si yo soy hijo de mi padre, mi padre no puede ser mi hijo (relación consciente), mientras que para el inconsciente, a partir del momento en que yo soy hijo de mi padre, también mi padre puede ser hijo mío. De modo que si yo soy más alto que tú, también tú eres más alto que yo; o si hoy es anteayer, ayer también es pasado mañana. En el sueño, en las fantasías, dichas simetrías se manifiestan a menudo, si bien también en los estados hipnóticos se puede desarrollar este proceso, y es comprensible si recurrimos al modelo propuesto por Blanco. Así, por ejemplo, en hipnosis, se le podrá decir a un sujeto que si abre los ojos verá a todas las personas sentadas en pie y a todas aquellas que están en pie, sentadas; o todos los varones con falda y a todas las señoras con pantalones, etc., y eso será aceptado por el inconsciente. De ello se deduce, pues, por qué el inconsciente no puede someterse al principio de contradicción, por ser esta una actitud propia de la mente consciente. En el fondo, la metáfora y los silogismos se presentan como un lenguaje propio del inconsciente, precisamente por el principio de las «redes de simetría». De Blanco a la hipnosis ericksoniana el paso es breve; no por azar el gran hipnotizador americano Milton H. Erickson recurría a las ambigüedades fenomenológicas, a las metáforas, al metalenguaje, según el asunto: «Si yo te conduzco a ti hacia la hipnosis, tú me estás conduciendo a mí hacia la hipnosis».

En efecto, el estado hipnótico no sólo es un «hecho del sujeto», pues entre hipnotizador e hipnotizado hay una continua interrelación de los hechos que se desarrollan en el escenario hipnótico. La metáfora, al representar algo distinto de aquello que se comunica, permite hablar al inconsciente: «La comprensión de la metáfora implícitamente comporta la extracción de relaciones generales por un ejemplo particular y el reconocimiento de que estas relaciones generales se apliquen también a otro ejemplo particular» (M. Blanco, 1981).

En las conducciones hipnóticas, Erickson, profesor de psiquiatría en la Universidad de Wayne, recurría al pensamiento simétrico y sugería: «Y mi voz te acompañará y se transformará en la voz de tus padres, de tu maestro, de tus compañeros de juegos e incluso en la voz del viento y de la lluvia...» (1983). Los métodos ericksonianos provocan en los sujetos los estados hipnóticos sin que estos puedan saber que se les ha aplicado fórmulas hipnotizantes.

Las dimensiones interactivas en el ámbito de la conciencia humana

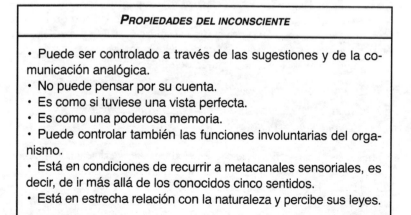

PROPIEDADES DEL INCONSCIENTE

• Puede ser controlado a través de las sugestiones y de la comunicación analógica.
• No puede pensar por su cuenta.
• Es como si tuviese una vista perfecta.
• Es como una poderosa memoria.
• Puede controlar también las funciones involuntarias del organismo.
• Está en condiciones de recurrir a metacanales sensoriales, es decir, de ir más allá de los conocidos cinco sentidos.
• Está en estrecha relación con la naturaleza y percibe sus leyes.

LAS FALSEDADES
ACERCA
DE LA HIPNOSIS

*Bajo hipnosis no se hace nada que contraste
con el propio sistema de valores fundamentales.*
ERNEST R. HILGARD

En 1993, Hull, el famoso estudioso del hipnotismo, en su libro *Hipnosis and Suggestibility* («Hipnosis y sugestión»), intentó convencer al público para que rechazara el binomio entre hipnosis y magia: «Todas las ciencias proceden de la magia y de la sugestión, pero ninguna como la hipnosis ha tardado tanto en sacarse de encima las nefastas asociaciones de sus orígenes».

Magos y prestidigitadores han asociado a menudo sus prácticas con el hipnotismo, algunas veces empleándolo adecuadamente, aunque con fines espectaculares, otras sólo simulándolo. Hoy en día, todavía resulta difícil convencer a muchas personas de que entre hipnotismo y ocultismo no existe ningún parentesco.

Por desgracia, en la actualidad aún se siguen difundiendo numerosos estereotipos que inducen a la confusión y a falsas creencias en todo aquello que tiene que ver con el hipnotismo.

Hagamos un repaso de algunas de ellas:

*En hipnosis, el sujeto hipnotizado duerme profundamente
y no es consciente de lo que hace*

La hipnosis no es sueño, pese a que la palabra derive de ella, del griego *hypnos*, que significa «sueño». La hipnosis no tiene nada en común con el sueño fisiológico; es más, si por obligación tuviésemos que relacionar el estado hipnótico con lo que conocemos por procesos mentales, deberíamos vincularlo al de la vigilia. El electroencefalograma obtenido en un sujeto en estado de hipnosis demuestra cómo la actividad de la corteza cerebral no es, en absoluto, comparable a la del sueño.

Los mismos dinamismos neuromusculares que se desarrollan durante el sueño son completamente distintos.

El hipnotizado está en poder del hipnotizador

El hipnotizado es siempre consciente de lo que está haciendo, y cualquier orden que se le imparta contra su moral, ética o religión, será de inmediato rechazada, sea el que sea el nivel del estado hipnótico que haya alcanzado, hasta el punto de que dicha orden puede determinar en el sujeto la salida inmediata del estado hipnótico, perjudicando la posibilidad de una nueva sesión con su hipnotizador. La idea preconcebida de que en hipnosis el sujeto está completamente en manos de la voluntad del hipnotizador fue erróneamente rebatida por Joseph Babinski, discípulo de Charcot: «Las prácticas hipnóticas pueden ser nocivas porque pueden desarrollar en el espíritu del hipnotizado la idea de que él es incapaz de resistirse a la voluntad del otro; y yo creo que, por noma, es mejor abstenerse».

En cada uno de nosotros existen mecanismos mentales de defensa que el estado hipnótico no inhibe del todo.

En la actualidad, sabemos que la función del hipnotizador es la de estar a la

Cartel de un espectáculo de un hipnotizador

misma altura que un buen maestro que dirige al alumno hacia el conocimiento, y que la heterohipnosis es sólo aparente.

Sólo los estúpidos pueden ser hipnotizados

El grado de hipnotización demuestra exactamente lo contrario, es decir, cuanto más inteligentes son las personas, más se dejan guiar hacia el estado de hipnosis, que se lleva a cabo, en último término, como autohipnosis. Sin embargo, los idiotas, los borrachos y, en general, aquellos que no son capaces de entender ni de querer, no pueden, en modo alguno, ser hipnotizados.

El propio hecho de cazar al vuelo el verdadero proceso hipnótico y, por lo tanto, de aceptarlo por conveniencia, denota perspicacia y apertura mental.

En este sentido, Emile Coué afirmaba que no pueden ser sometidos a hipnosis, y por lo tanto, provocar autosugestiones, los deficientes, los incapacitados para comprender y aquellos que no quieren entender.

La hipnosis actúa sólo en la mente y no puede curar el organismo

No es cierto en absoluto, de hecho hoy sabemos lo estrecha que es la relación entre la psique y el soma, incluso existe una rama de la medicina, la psicosomática, que se ocupa de dicha relación. En hipnosis, cada sugestión, si es aceptada, siempre modifica, poco o lo que sea necesario, algunas funciones biológicas.

Y eso es debido a que la hipnosis no es sólo un fenómeno psicológico, sino también biológico.

• Los cambios son numerosos: cambio de la temperatura corporal, del flujo sanguíneo, de la conducción eléctrica cutánea, incremento de las endomorfinas, activación del sistema inmunológico, modificación del sistema endocrino, etc.

• La hipnosis no es una terapia o un tratamiento clínico, sino una modificación del estado de conciencia que permite intervenir incluso con fines terapéuticos.

• El empleo de la hipnosis como medio terapéutico se está difundiendo cada vez más, después de haberse demostrado que con la hipnosis se puede también curar el cuerpo.

En la hipnosis se invoca a las fuerzas ocultas

Hoy en día todavía hay personas que sostienen que en los procesos de hipnosis el hipnotizador consigue llevar a cabo su práctica gracias al uso de fuerzas demoniacas negativas. Son tantas esas personas que incluso en algunas religiones está prohibido someterse a sesiones de hipnotismo. Es cierto que hasta principios del siglo XX el hipnotismo se relacionaba a menudo con el espiritismo y los médiums, y es cierto también que en aquella época se confundían los estados de conciencia diversificados, los cuales, sin embargo, conducen a dos direcciones completamente distintas. En el pasado, ese binomio desencadenó el uso de términos como *fascinación*, y se consideró la hipnosis una influencia maléfica relacionada con los ritos y los encantamientos. Que entre un trance parapsicológico y un estado hipnótico puede haber a simple vista un cierto parecido es verdad, pero es obvio también que ambas vías son completamente distintas y que su confusión es debida a la ignorancia.

LO QUE NO ES LA HIPNOSIS	LO QUE SÍ ES LA HIPNOSIS
La hipnosis no es sueño.	La hipnosis es un proceso dinámico interpersonal que toma forma entre dos o más sujetos con la finalidad de alcanzar un estado diversificado de conciencia en el que la realidad se establece de modo distinto.
El hipnotizado no está en poder del hipnotizador.	
La hipnosis no es un signo de debilidad mental, sino un signo de Inteligencia y de gran fantasía.	
La hipnosis no es sólo un fenómeno psicológico, sino también biológico.	La hipnosis es una técnica, un ítem, que permite intervenir en la psique y variar los parámetros de percepción, actuando sobre las vivencias psicológicas y conflictivas y permitiendo examinar los estados de conciencia y realizando un proceso de reordenación.

LO QUE SE PUEDE OBTENER

> *El ejercicio, el estudio, la reflexión, el éxito y el fracaso,*
> *las audacias, las resistencias y de nuevo la reflexión,*
> *han desarrollado en nosotros una actividad inconsciente*
> *que con absoluta libertad de acción se une a nuestra conciencia,*
> *hasta tal punto que resulta ser una potencia unitaria*
> *destinada a sorprender al mundo.*
> JOHANN WOLFGANG GOETHE

No se puede elaborar una lista exhaustiva de las ventajas que la práctica hipnótica puede proporcionar: en general, podemos subdividir las numerosas ventajas en los siguientes ámbitos (dispuestos en orden alfabético):

- algias;
- arte;
- bulimia;
- cirugía y odontología;
- control de los hábitos y de los vicios;
- cuidado de las psiconeurosis y estados depresivos;
- cuidados en general;
- dermatología;
- trastornos de la personalidad;
- endocrinología;
- geriatría;
- metapsíquica;
- obstetricia y ginecología;
- pedagogía;
- pediatría;
- prevención en general;
- psiconeuroendocrinología;
- psicosomática;
- psicoterapia;

- rehabilitación funcional;
- búsqueda interior;
- sexología;
- deporte;
- toxicomanías.

Si observamos la lista podemos constatar hasta qué punto es amplio y variado el campo de acción de la hipnosis.

Debemos señalar que cada ámbito deberá ser justificado por las determinadas competencias del hipnotizador y por su titulación.

Así, por ejemplo, el licenciado en pedagogía o en ciencias de la educación podrá aplicar la hipnosis cuando su hipnotizado vaya dirigido hacia la hipnopedia, disciplina que se ocupa de la aplicación de la hipnosis en la mejora del aprendizaje didáctico.

El sociólogo podrá hacer uso de la hipnosis siempre que dicha práctica esté relacionada con las investigaciones sociales y las interacciones entre los individuos. El filósofo, siempre que esté relacionada con la investigación metafísica, etc. Del mismo modo es posible ubicar las figuras del psiquiatra y del psicoterapeuta en el ámbito de las competencias de la hipnosis clínica y, en general, a todos los licenciados en medicina y odontología, siempre que estos sean personas competentes y meritorias.

Por lo que respecta al ámbito científico, la contribución más notable en el campo de la hipnosis proviene del estudio del cerebro, de lo que se denomina *neurociencia*, disciplina que está demostrando cómo el estado hipnótico guarda una estrecha relación con el sistema psicológico, el neurológico y el inmunológico.

En algunos de los ámbitos a los que hemos hecho referencia, el empleo de la hipnosis es de carácter marginal, por ejemplo en el autoanálisis, mientras que en otros constituye un tratamiento a elegir.

Óptimos resultados se obtienen en sexología, por ejemplo, en los tratamientos sobre los trastornos de impotencia, eyaculación precoz o vaginismo; o en ginecología, sobre todo para regular las alteraciones del ciclo menstrual, o de concentración (hipnoconcentración) y en el parto sin dolor.

En cuanto a las algias, se puede controlar el umbral del dolor o llegar a intervenciones quirúrgicas con analgesia hipnótica.

En este sentido, un estudio del Beth Israel Deaconnes Medical Center ha comprobado que los sujetos que se someten a la práctica hipnótica antes de someterse a una intervención quirúrgica precisan menos curas antidolor (*Lancet*, Elvira Lang, 2000). En el ámbito del deporte, sin embargo, la hipnosis se emplea tanto en las fases de entrenamiento como en la competición, con un incremento de la actividad física y del rendimiento en general. Óptimos resultados se obtienen también en algunas enfermedades de la piel como la dermatitis atópica, la soriasis y las verrugas. En los trastornos psicosomáticos, la hipnosis se emplea para desentrañar las causas del sufrimiento.

En el ámbito artístico, la hipnosis permite potenciar la creatividad, pero también aprender a tocar un instrumento musical en poco tiempo.

La hipnosis es un estupendo lenitivo para el talento artístico, ya que actúa sobre el hemisferio derecho del cerebro. En pedagogía, sirve para facilitar la memorización y para incrementar la voluntad de estudio. Se obtienen también buenos resultados en el aprendizaje de lenguas extranjeras, adquiriendo su conocimiento en poco tiempo.

Por lo que concierne al tabaquismo o el alcoholismo se recurre a menudo a la hipnosis, obteniendo el mayor resultado en la disuasión del humo. También en el tratamiento del sobrepeso, de la obesidad y de la anorexia se puede recurrir a la hipnosis.

Existen otros campos más extremos y curiosos, como el de incrementar el bronceado sin someterse a fuentes luminosas o el aumento del pecho recurriendo sólo a la sugestión; o también en el ámbito de la justicia, para potenciar el recuerdo en caso de tener que testificar.

Y qué decir también de la regresión hipnótica (a la que personalmente me dedico desde hace casi treinta años), que permite revivir el propio pasado hasta (para aquellos que creen en la reencarnación) la recuperación de lo vivido en vidas anteriores.

Estos últimos campos de intervención pertenecen a las aplicaciones extraterapéuticas de la hipnosis, a las cuales añadimos la posibilidad de modificar la percepción del tiempo dedicado al sueño, de conducir los sueños y el empleo del estado hipnótico para desarrollar las facultades paranormales.

Variables biológicas científicamente verificadas:
- modificación de la actividad eléctrica cerebral (EEG);
- reducción del ritmo respiratorio y sus variaciones;
- disminución del ritmo cardiaco;
- disminución de la presión sanguínea;
- reducción del metabolismo basal;
- variaciones cutáneas de la resistencia eléctrica;
- alteraciones de las concentraciones hormonales;
- aumento de los linfocitos;
- aumento del número de plaquetas;

- variaciones en la cantidad de glóbulos rojos;
- inhibición del sistema simpático;
- cambios a nivel cerebral del lóbulo parietal;
- aumento del flujo de sangre en el área cerebral denominada cíngulo;
- aumento del flujo sanguíneo en el área visual del cerebro;
- disminución de la actividad en el hemisferio izquierdo del cerebro;
- incremento de la actividad del hemisferio derecho del cerebro.

POR QUÉ FUNCIONA

A lo largo del tiempo se ha intentado explicar por qué es posible alcanzar el estado hipnótico. Se ha dicho de todo, ha habido periodos en que se ha llegado incluso a una exaltación de dicha práctica y otros en los que el hipnotismo ha sido sinónimo de charlatanería. Repasemos brevemente algunas de estas hipótesis.

Sensismo físico

Llamado también *sensismo fluídico* o *mesmérico*, en el cual se atribuía al fluido magnético, que el «magnetizador» emanaba de su cuerpo, la implantación de un determinado estado denominado *sueño magnético*. El autor de esta hipótesis fue el médico alemán Franz Anton Mesmer, el cual, basándose en la teoría de Paracelso, afirmaba la presencia de un fluido difundido en toda la creación que, justamente canalizado, podía ser utilizado con fines terapéuticos.

Mediante el uso de algunas técnicas, sobre todo del movimiento y la impostación de las manos en determinadas partes del cuerpo de una persona, era posible crear un estado definido como *sueño magnético*. La persona *mesmerizada* obedecía las órdenes impartidas por el terapeuta. No eran las palabras las que actuaban, sino el fluido magnético. El término *sensismo físico* hace referencia a la teoría de que el sueño hipnótico es causado por la acción específica del fluido magnético a nivel físico del organismo.

Braidismo

Denominada también *hipnosis de fijación*, que es provocada a través del cansancio ocular. La inducción del estado hipnótico se consigue porque el sujeto cede al cansancio, en particular al causado por la fijación ocular en un objeto brillante. Este cansancio comporta un determinado estado en el que es posible actuar mediante la comunicación verbal. El braidismo tomó su nombre del médico inglés James Braid y fue retomado por la escuela parisina de la Salpêtrière, dirigida por Charcot. El braidismo fue rebatido por la Escuela de Nancy presidida por Hippolyte Bernheim, que atribuía el estado hipnótico al propio temperamento del sujeto, particularmente sensible a la inducción a través de las sugestiones.

Pitiatismo

O *piziatismo* (del griego *péithein*, que significa «persuadir»), hipótesis formulada por el francés Joseph Babinski (1857-1932), según el cual la práctica de la hipnosis se resuelve en una inconsciente simulación, en la que el sujeto hipnotizado finge, inconscientemente, haber modificado la propia conciencia, mientras que el hipnotizador simula imponer la propia voluntad. Para Babinski, dicha simulación sería parecida a lo que sucede en algunas enfermedades nerviosas que son formas de simulación del trastorno y que se tratan con la persuasión.

Reflexología

Hipótesis formulada por el fisiólogo Ivan Petrovich Pavlov (1849-1936), que basó sus estudios en los animales. El conocido experimento del perro sometido al reflejo salivar condicionado por la vista del alimento forma parte ya de la historia de la fisiología. Pavlov, que fue galardonado con el Premio Nobel en 1904, propuso una teoría sobre la hipnosis. El terapeuta, a través de la sugestión, provocaría una excitación en una determinada área de la corteza cerebral, con la consecuente inhibición del resto del área; es decir, el sujeto reaccionaría ante las órdenes mediante reflejos condicionados. Recordemos que en la base de la práctica hipnótica verbal se halla la repetición. De hecho, en este contexto es posible descubrir los contenidos presentes en la teoría organicista de Pavlov. En realidad, los reflejos condicionados estarían provocados por la asociación, repetida con el tiempo, de una percepción que, a su vez, estaría en condiciones de provocar un estímulo. El gran error de Pavlov fue el de equiparar a los seres humanos con los animales y confundir la inmovilidad cataléptica provocada en los animales con el estado diversificado de conciencia que se instaura en el hombre.

El modelo de Pavlov

En 1863, Scenov publicaba artículos sobre los reflejos condicionados, de los que extraemos los párrafos siguientes:

* no existe una línea de demarcación entre actos somáticos y fenómenos psíquicos;
* actos voluntarios y pensamiento son, la mayor parte, reflejos;
* el reflejo es un fenómeno asociativo;
* la percepción y las ideas nacen de la asociación y de la integración de los reflejos a través de la mediación del sistema nerviosos central;
* pensamientos e ideas se deben, casi en su totalidad, a un proceso de conocimiento entre organismo y ambiente; la herencia no tiene más que una mínima incidencia.

Según la ley de Pavlov, un estímulo cualquiera (incondicionado) puede suscitar una respuesta deseada si este se ha suministrado, una o más veces al mismo tiempo, al estímulo que corresponde a esta respuesta por un reflejo condicionado.

Exclusión psíquica o disociación psíquica

Una de las recientes y valoradas hipótesis científicas relacionadas con la hipnosis afirma que en el hombre existen dos mentes: una objetiva y otra subjetiva. En el proceso hipnótico, la mente objetiva es excluida hasta el punto de que la subjetiva puede actuar sin control alguno por parte de la primera. El hipnotizador suministra información que es totalmente aceptada por el sujeto gracias a la exclusión psíquica que se realiza mediante la técnica adecuada. El hipnotizador sería englobado en el «Otro generalizado» del sujeto, y la misma voz del terapeuta asumiría el valor de la propia voz interior (el «Otro generalizado» del sujeto conducido). Por *Otro generalizado* se entiende una parte de la configuración de la conciencia, en la cual han sido importadas normas y modos de ser que el individuo cree que son lo justo y verdadero. La analogía entre el otro generalizado y el superyó freudiano es obvia.

En esta hipótesis, el estado hipnótico se convierte en un «vivir la realidad» representada por el terapeuta como un estado de reciprocidad de ideas. De modo que podríamos afirmar que el estado hipnótico es simplemente «otro modo de ser». En el individuo existirían dos importantes modos mentales: uno objetivo y otro subjetivo. El subjetivo aceptaría aquello que el objetivo desecha (gracias a la intervención del Otro generalizado). El hipnotizador ocuparía el lugar de la función objetiva o bien la excluiría, haciendo avanzar la función subjetiva.

En hipnosis la conciencia del sujeto realiza una autolimitación de la propia libertad.

Y hasta tal punto eso es cierto que Roberto Pavese propone al respecto esta definición: «El objetivo de la hipnosis es crear un vacío en la conciencia del sujeto para inocular aquella idea o aquellas sugerencias inherentes a los fines terapéuticos o experimentales del hipnotizador» (1959).

Dicha interpretación coincide con el pensamiento de «conciencia prisionera» expuesto por Sartre a propósito de las fuertes emociones, del mundo onírico y del histerismo. En el estado hipnótico profundo, para el sujeto, el hipnotizador es la única realidad más allá de él, por lo que la propia voz del terapeuta es englobada en el sujeto y asume el valor de la propia voz interior.

Monoideísmo plástico

Otra hipótesis aceptada por muchos hipnotizadores contemporáneos es la que se denomina *monoideísmo plástico*.

Con ella se pretende afirmar que, a través de determinados procedimientos, es posible atenuar o suspender las funciones crítico-intelectivas que el sujeto ejecuta a través del hemisferio izquierdo del cerebro, mientras que las funciones emotivo-representativas de la parte derecha son despertadas.

En 1960, el profesor Franco Granone, médico y profesor universitario, definía la hipnosis como «un estado particular de conciencia durante el cual son posibles determinadas modificaciones psíquicas, orgánicas, somáticas o viscerales, mediante monoideísmos auto o heteroinducidos». El término *monoideísmo* pretende indicar que la mente del individuo está tan concentrada sobre una determinada idea que, en ese trance, no existe nada más que pueda realizarse, o mejor dicho, que pueda representarse, o para decirlo según la teoría de la Gestalt, «imágenes internas o percepciones efectivas utilizan estructuras o procesos mentales parecidos», sólo que durante la hipnosis, al sujeto se le niega la posibilidad de elección y la sensación es transmitida por el terapeuta, y esta es, a su vez, aceptada plásticamente a nivel mental. Ya en 1847, Braid rechazó la palabra *hipnotismo* y prefirió utilizar el término *monoideísmo*.

Las ideas son entendidas como «imágenes mentales» que el hipnotizador obliga a importar al sujeto; eso es posible porque las ideas y las impresiones sensoriales son consideradas por el superyó (u Otro generalizado) fenómenos idénticos: imágenes y preceptos implican las mismas representaciones mentales.

En la hipnosis se instauraría un «monoideísmo sugestivo ideoplástico», en el sentido de que la idea fijada es el resultado de la proposición formulada por el terapeuta y sugerida al hipnotizado; en el monoideísmo se afirma que una idea tiende a producir aquello que ella representa. Es conveniente afirmar que dicha hipótesis remite automáticamente al modelo hipnótico como «estado de participación» en el cual se instaura una «realidad consensual». En este sentido, coincido con la hipótesis de que el estado hipnótico es un proceso en el cual prevalece el estado de participación de ideas. Sin embargo, no tener en cuenta todo el entramado de los diversos procesos hipnóticos e inclinarse por el uso exclusivo del modelo de monoideísmo me parece una simplicidad y una imprudencia. Todo está en el inicio del ítem hipnótico que prevalece en dicho concepto.

POR QUÉ
SE PRACTICA

> *No quieras que las cosas sucedan como tú quieres,*
> *desea que sucedan como suceden.*
>
> EPÍCTETO

Antes de responder a esta cuestión, planteo yo otra: ¿por qué has comprado este libro? Obviamente, porque hay un interés por el tema de la hipnosis. Eso debería bastar a la motivación para no detenerse en el conocimiento teórico y experimentar directamente el estado hipnótico.

A pesar de que las cosas puedan parecer fácilmente comprensibles desde el punto de vista teórico, el único y auténtico conocimiento pasa a través de la práctica.

Existen diferentes modalidades para emprender el viaje de la experiencia hipnótica: desde los test preliminares hasta la constante aplicación para alcanzar un nivel profundo del estado hipnótico.

Sea como fuere, lo cierto es que os adentraréis en un camino, hacia el descubrimiento primero y hacia la utilización después, del potencial de vuestra mente, que pese a que forma parte de vuestro ser, no conocéis aún. Ya sólo eso debería impulsaros a la práctica.

Enumeremos, a continuación, las ventajas que se pueden obtener al practicar la hipnosis y la autohipnosis:

• CONOCIMIENTO: cada información aumenta el conocimiento y cada incremento cognoscitivo amplía el nivel de conciencia. La ampliación de la conciencia estimula un mayor conocimiento, y este comporta la actuación de nuevos y más acordes estilos de vida.

• EXPERIENCIA: el patrimonio cognoscitivo se fija en la memoria y modifica la noción del tiempo y su relación con el espacio. Cada experiencia, cualquiera que esta sea, a pesar de estar apoyada en la libertad de conocimiento, enriquece el bagaje cognoscitivo y abre nuevas vías hacia heurísticos antes inimaginables.

• POTENCIALIDADES y/o *fuerza psíquica*: estas surgen porque, una vez descubiertas, ofrecen ricas y nuevas posibilidades. Un potencial que siempre está dispuesto a ser utilizado, en cualquier lugar, en cualquier tiempo, quizá porque está presente en el interior de la propia mente. Una fuerza incrementada tal como la fuerza física enseña qué causa es capaz de producir determinados efectos.

• CAMBIO: como un paso hacia otro estadio, como salto cuántico con aumento del grado cualitativo y cuantitativo del conocimiento que serán empleados de una forma nueva.

RIESGOS
Y PRECAUCIONES

> *La hipnosis es una técnica, como usar el estetoscopio,*
> *y el empleo que se hace de ella es más importante*
> *que las actitudes que entran en el uso corriente.*
>
> ERNEST R. HILGARD

Lombroso, que creía en los posibles daños ocasionados a un sujeto hipnotizado, escribió en 1896: «El hipnotizado sugestionado proclama la falsedad con la misma intensidad con la que el honesto proclama la verdad, porque poco a poco siente como verdadero lo que no es. Esto nos muestra los peligros y los daños de las sugestiones hipnóticas: daños directos para los delitos que pueden cometerse con absoluta impunidad».

La hipnosis, en sí misma, no es en modo alguno peligrosa, sino que es el uso equivocado de ella lo que puede comportar determinados riesgos. Cuando es la autohipnosis la que se practica, no existe, obviamente, ningún riesgo que esté relacionado con el terapeuta. Sin embargo, una aplicación errónea de la técnica puede provocar daños. Además, es preciso que el sujeto no padezca trastornos psíquicos, sobre todo de carácter depresivo, ataques de pánico ni trastornos psicóticos en general, pues no sólo no se obtendrían beneficios, sino que dichos trastornos podrían empeorar. En estos casos, son más indicados para el sujeto la meditación, el *training* autógeno y el yoga.

Para poder superar los posibles riesgos de la práctica de la autohipnosis, es posible recurrir, en primer lugar, a la hipnosis que se practica con la ayuda de un terapeuta (heterohipnosis); será tarea del hipnotizador enseñarnos las técnicas de la autohipnosis que seguidamente podremos practicar por nuestra cuenta.

Un riesgo presente que existe en la autohipnosis, y que no se manifiesta como tal, es el de la dependencia, es decir, el hecho de continuar a ultranza con esta técnica porque las sensaciones que nos proporciona son agradables y gratificantes. En ese caso, habremos caído en la búsqueda compulsiva de lo que nos gusta, sin tener en cuenta que la práctica hipnótica prolongada más de dos o tres meses es síntoma de dependencia.

La responsabilidad profesional y ética del hipnotizador deben reforzar a la persona que haya decidido emprender la travesía de la experiencia hipnótica. La tarea del hipnotizador es la de acompañar al sujeto a lo largo del cambio momentáneo en el cual, a través de sus propuestas, se definen sus parámetros mentales. Estoy convencido de que este proceso puede desarrollarse con absoluta confianza, en estrecha cooperación de ambos actores sociales y sin una clara distinción de comportamientos contravenidos.

Resulta lamentable que se corrobore la difundida idea del poder excesivo que ejerce el hipnotizador sobre el sujeto en el estado hipnótico. Esta no es más que una idea preconcebida que es debida a la ignorancia por la falta de información, mientras que, todavía hoy en día, destaca la hipnosis como espectáculo, que asombra a quienes, precisamente, de hipnosis no saben nada.

Las modalidades del hipnotizador, o mejor dicho, su «saber comunicativo» ayudan a superar la natural tensión inicial por parte del sujeto. A lo largo de los encuentros, las posibles desavenencias desaparecerán y la experiencia hipnótica asumirá connotaciones gratificantes. El único riesgo a tener en cuenta es el de que se pueda caer en manos de algún pseudohipnotizador y persona aprovechada, poco seria y poco honesta, pero creo que este riesgo existe siempre en todos los ámbitos. Naturalmente, para evitarlo basta con informarse acerca de la persona en la que habéis decidido confiar.

Hay que recordar que la hipnosis está contraindicada y, en parte resulta inaplicable, en aquellos sujetos que padecen trastornos psíquicos, concretamente en individuos psicóticos. Creo que la hipnosis es un medio maravilloso que se halla a disposición de aquel que no tiene necesidad de ella, es decir, de aquel que se mantiene en perfecta forma e integridad mental. Para los individuos que desconocen las ventajas que ofrece la hipnosis, tanto vale un medio como otro (el terapeuta) para descubrirlas.

Lo más importante es saber con qué persona se recorre el camino, pues la diferencia fundamental puede consistir entre realizar un buen viaje o uno pésimo.

El problema de fondo es que, en realidad, no siempre resulta tan fácil saber cuándo se trata de un buen viaje.

AUTOHIPNOSIS
Y HETEROHIPNOSIS

No yo pienso,
sino ello piensa.

FRIEDRICH W. NIETZSCHE

La hipnosis realizada por un terapeuta y aceptada por un sujeto se llama *heterohipnosis*, mientras que cuando se trata del mismo individuo el que se aplica a sí mismo la hipnosis, estamos hablando de *autohipnosis*. Los términos conservan su vigencia sólo en las descripciones de los estudiosos en los trabajos, pero comúnmente el término *hipnosis* se refiere a ambos casos.

En un principio, debemos señalar que existe, prioritaria o solamente, autoaplicación del estado hipnótico y, por lo tanto, autohipnosis. En la autoaplicación no hay obstáculos de interrelación y de comprensión; los sujetos son los mismos protagonistas de las distintas experiencias que se llevan a cabo a lo largo del recorrido hipnótico. Cuando es la heterohipnosis la que se aplica, el terapeuta recurrirá a las técnicas conocidas para sugerir o, mejor dicho, sugestionar al sujeto con el fin de que las incorpore a su relación social.

Sin embargo, entre sugestión y estado hipnótico hay una clara diferencia, porque el primer término indica el grado de condicionamiento al que el sujeto más o menos se somete, mientras que el estado hipnótico se trata de un proceso complejo que al final el autohipnotizado consigue instaurar. La sugestión puede inducir al estado hipnótico, pero no es indispensable recurrir a ella. Por lo que respecta a la práctica autohipnótica, resulta más difícil manifestar pensamientos de carácter innovador, porque la gestión se apoya en la misma fuente que requiere una actualización. De ello deriva el riesgo de una pérdida de energías o de un estancamiento.

En la heterohipnosis, sin embargo, se delega a otros la tarea de escoger adecuadamente las elecciones conductivas, confiando en que el terapeuta pueda dar lo mejor de sí mismo dictando nuevas cargas innovadoras y cognoscitivas; en este aspecto, el hipnotizador debería «ser mucho más de cuanto es el hipnotizado», porque suceda lo que suceda deberá superarse cualquier diferencia existente entre los dos y alcanzar una total participación por parte de ambos.

En otros términos, podríamos decir que en la hipnosis a dos, con hipnotizador e hipnotizado como actores distintos, se realizan dos procesos autohipnóticos: el del hipnotizador, basado en el conocimiento de la técnica y dirigido al sujeto, y en la adecuación de este último a la guía que se le propone.

La interacción entre hipnotizador e hipnotizado se explica, pues, sobre un plano metacomunicacional en el que la relación social se convierte en un factor decisivo: «Cada comunicación presenta un aspecto de contenido y un aspecto de relación, de modo que el segundo clasifica al primero y, por lo tanto, es metacomunicación» (P. Watzlawick, 1971).

Esquema lineal de la comunicación

La información que es emitida por la fuente, o sujeto transmisor, se transfiere al destinatario.

Lo que se emplea para transferir la información entre la fuente emisora y el destinatario receptor es el canal que se halla entre la salida de la fuente y la entrada del destinatario.

El codificador tiene la finalidad de modular la información y pasarla al elemento, adaptado al envío, es decir, al emisor.

El decodificador elabora la información y la adapta a las capacidades receptivas del destinatario.

Si en la fuente se dispone de una persona áfona, y esta ha elegido comunicar con la voz, la señal codificada y emitida resultará debili-

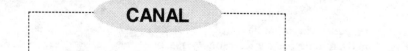

FUENTE ▶▶ CODIFICACIÓN ▶▶ EMISOR ▶▶ SALIDA ▶▶ RECEPTOR ▶▶ DESCODIFICADOR ▶▶ DESTINATARIO

tada, lo mismo que si el destinatario posee un aparato receptor deteriorado, este se oirá poco.

Hipnosis y autohipnosis convergen en el hemisferio derecho del cerebro, razón por la que los artistas y, en general, las personas creativas pueden alcanzar con facilidad el estado hipnótico.

El hemisferio derecho se utiliza para la elaboración de las imágenes, metáforas y aforismos; tiende a condensar, le gustan las alusiones, las rimas y conduce a la comunicación analógica, por lo tanto, a la comunicación no verbal.

Muchos relacionan la actividad del hemisferio derecho del cerebro con el inconsciente, y la actividad del hemisferio izquierdo (el del raciocinio) con el superyó. Hasta tal punto eso es cierto que el propio proceso hipnótico es entendido como una actuación para acallar o distraer la actividad del hemisferio izquierdo. No sé qué hay de verdad en todo eso, pero cabe destacar que las personas que, por su carácter, son fantasiosas pueden obtener óptimos resultados con la hipnosis y la autohipnosis.

Las variaciones psicofisiológicas que se instauran en el estado hipnótico, inducido por otros o autoinducido, son esencialmente idénticas, entre ellas citamos siete:

1. Cambios del *imput*, donde la percepción sensorial se puede modificar para los cinco sentidos.

2. Modificación de la valoración crítica y del sentido lógico de cualquier proceso mental sugerido o autoinducido.

3. Variaciones de la percepción temporal, en el sentido de que el tiempo tiende normalmente a contraerse y se valora el transcurso de media hora como si hubieran pasado pocos minutos.

4. Cambios de la identidad propia y ajena en la valoración y autovaloración, en el juicio y el autojuicio de los demás y de uno mismo.

5. Distorsión de la percepción de algunas partes del cuerpo, como la sensación de tener los brazos larguísimos o de perder la percepción de la presencia de las piernas o de cualquier otra parte del cuerpo. O bien de tener la sensación de que algunas partes se hayan agrandado desmesuradamente.

6. Potenciación de la capacidad imaginativa y del recuerdo.

7. En el estado hipnótico o autohipnótico, denominado como *hipnosis plástica*, el sujeto manifiesta cambios a nivel biológico, hasta tal punto que en algunos casos presenta regiones visibles, como enrojecimiento de la piel, o pequeñas hemorragias tal como sucede en los síntomas.

La sugestión

Las sugestiones son acciones comunicativas cuya finalidad es la de manipular el Yo con el objetivo de que se reduzca o se anule la posibilidad de verificación y, por lo tanto, la criba por parte de la psique (Yo racional).

En la autohipnosis el individuo aplica directamente la sugestión sobre sí mismo.

Según Bernheim, en su *Hypnotisme* («Hipnotismo») se entiende por *sugestión* «cualquier acto por el que una idea es introducida en el cerebro y por él aceptada» (1891).

Para Janet se trata de «todo aquello que surge de nuestra mente por asociación de ideas, por lectura, por aprendizaje, todo lo que se inventa, todas las creencias de cualquier tipo» (*État mental des hysthériques*, 1894, «Estado mental de los histéricos»).

Debemos señalar, en última instancia, que es preciso que de la sugestión heteroinducida se pase a la autosugestión, con el fin de que la condición presente en el mensaje pueda inducir el estado hipnótico, es decir, cuando la práctica corra a cargo de un terapeuta, o sea, en la heterohipnosis.

«El hipnotizador cree que el instrumento de la acción hipnótica es la sugestión verbal, o lo que es lo mismo, la palabra. Sin embargo, la palabra implica y explica el pensamiento, y este último comporta también una radiación cerebral: me refiero a una proyección corpuscular que no podría exteriorizarse desde el encéfalo de acuerdo con una correspondiente interiorización o asunción del ambiente psicofísico externo, según un tipo de metabolismo mental» (R. Pavese, 1959).

Dedicarse a la hipnosis significa dedicarse a la comunicación y, por lo tanto, a la relación entre individuo y sociedad. Cada día somos bombardeados por mensajes condicionantes y ¿quién sabe cuántas de nuestras libres elecciones son realmente libres y cuántos de nuestros juicios han sido hábilmente insertados a la fuerza en nuestra mente? La prolongada repetición de una noticia, de un anuncio publicitario, es una técnica muy próxima a las técnicas hipnóticas.

A propósito de la vulnerabilidad del control, A. Platonov, en su libro titulado *La hipnosis y la sugestión en la práctica médica*, escribió: «La sugestión entra en la conciencia del hombre no por la puerta principal sino por la de servicio, evitando al portero, que es la facultad de juicio».

Con respecto a la influencia de la repetición, perfectamente en la línea de pensamiento de Coué, debemos recordar que en la hipnosis clásica es indispensable repetir varias veces la sugestión, desde un mínimo de tres veces a veinte, y más: «La repetición de una sugestión, de cualquier tipo que sea, es la mayor fuente de su potencialidad» (V. Bendinelli, 1974).

Al fin de cuentas, quien más y quien menos, vivimos ignorantes de lo que los demás determinan acerca de nosotros. Se pueden definir 5 tipos de sugestiones:

1. sugestiones por autoridad;
2. sugestiones por asociación;
3. sugestiones por costumbres;
4. sugestiones por repetición;
5. sugestiones por imitación.

Sugestiones por autoridad

Una persona que se considera a sí misma inferior acepta las ideas de quien considera superior.

Sugestiones para hacer creer aquello que se dice:

- Es un hecho comprobado...
- Yo afirmo sin temor a equivocarme...
- Los especialistas de mayor prestigio han afirmado que...
- Las más solventes fuentes de información coinciden en que...
- Como vosotros bien sabréis...

Sugestiones por asociación

Comparación con hechos acontecidos, recuerdos de músicas, nombres, perfumes, etc.

Sugestiones por costumbres (vinculadas a la asociación)

Condicionamiento debido a las costumbres. Intentar:

- meter el calcetín en el pie que no le corresponde;
- ponerse primero el zapato y luego el calcetín;
- salir de la cama por el lado opuesto;
- ponerse la otra manga de la chaqueta;

Nos sentiremos, desde luego, a disgusto.

Sugestiones por imitación

La persona imita siempre a los demás, y quien no lo hace es un excéntrico y es rechazado.

El modo de vestirse, de peinarse, etc. es una fuente de imitación continua, sobre todo de las personas importantes o muy conocidas, como los actores. Se imitan los deportes, las ideas religiosas, las teorías filosóficas...

Si intentáis mirar hacia arriba con expresión estúpida, veréis cómo mucha gente os imitará.

Se imitan también los modos de suicidarse, o las fugas, o también es común que se padezcan los síntomas de enfermedades que se están leyendo en un libro.

De todo eso se deduce lo importante que resulta comportarse correctamente y dar buen ejemplo a los demás.

En definitiva, podemos afirmar que recurrir a la sugestión forma parte de la estrategia de la hipnosis clásica: «La sugestión es la clave del hipnotismo y aprender a aplicarla de un modo adecuado requiere tiempo y mucha práctica. Pero cuando dominéis esta técnica reconoceréis su valor incalculable y os resultará también de gran ayuda fuera de los parámetros del propio hipnotismo» (V. Bendinelli, 1974).

Exponemos a continuación algunos ejemplos de funciones lingüísticas que se pueden utilizar mediante la sugestión durante la sesión hipnótica.

- FUNCIÓN IMPERATIVA: cuando el que habla se impone de forma coercitiva, impartiendo órdenes tajantes. Ejemplo: «A los 5 minutos cerrará los ojos» (se refiere al destinatario).

- **Función persuasiva**: cuando las propuestas invitan, aconsejan y ayudan al destinatario. Ejemplo: «Respirando profundamente se sentirá más relajado» (se refiere al destinatario).
- **Función informativa**: llamada también referencial, se aplica para aumentar el grado de conocimiento, es decir, para informar, explicar, etc. Ejemplo: «Cerrando los ojos por el reflejo condicionado bulbo-ocular-cardiaco su corazón latirá más tranquilamente» (se refiere al destinatario).
- **Función metalingüística**: en ella se va más allá del significado literal y se explica aquello que se emplea para explicar. Ejemplo: «Cuando le diga *calma* percibirá una agradable sensación interior de bienestar» (se refiere al tipo de código utilizado).
- **Función emotiva**: cuando se desea comunicar un estado emocional positivo o negativo. Ejemplo: «Lo que usted ha sentido ha sido realmente sublime, de hecho se siente muy gratificado» (esta función se refiere al emisor).
- **Función metafórica**: en el sentido de «transferencia», es decir, el empleo de palabras con un significado cambiado, alterado, que indican otra cosa. Ejemplo: «Está en el séptimo cielo».
- **Función comparativa**: cuando se utilizan comparaciones o símiles para comunicar un significado poco conocido mediante el empleo de otro más común. Ejemplo: «Su brazo será tan ligero como una pluma». En la función comparativa se emplean las palabras *como*, *parecido a*. Para convertir la comparación en metáfora es preciso omitir el *como*, y *parecido a*.

DE LOS PRELIMINARES
A LA PRÁCTICA

La palabra y la voluntad del hombre sabio y perfecto
se cumplen siempre.
PATAÑJALI

En este libro se utiliza la expresión *estado hipnótico* cada vez que se hace referencia al cambio del estado de conciencia relativo a la hipnosis. A menudo se entrecruzan otros sinónimos, otros términos, como *sueño hipnótico* o *trance hipnótico*. Personalmente no coincido con dichas denominaciones, porque su significado está muy alejado de la propia hipnosis. El término *inconsciente* es sustituido por el de *preconsciente*, porque el proceso natural de la conciencia hace que en algunos casos, como el sueño, puedan emerger los contenidos del inconsciente hacia la parte consciente, es decir, desde las profundidades hacia lo alto, y por lo tanto, antes del consciente, o sea, el preconsciente.

Por lo que respecta a la relación que debe establecerse entre hipnotizador e hipnotizado, me inclino por una relación amigable, en la que ambos se tuteen; con algunos sujetos no es conveniente de una forma inmediata, pero sí a partir de la segunda sesión. Sin embargo, debo decir que en este libro, cuando hago referencia a los ejemplos de aplicación, he decidido utilizar el *usted*.

Otro aspecto es el que se refiere al contenido del texto, en el cual está presente un «ítem hipnótico» que es tan sólo un ejemplo conductivo. La hipnosis es, en su conjunto, una auténtica disciplina, compleja y variada, en la que convergen conocimientos de lo más dispares. La elección de un postulado, tal como se aplica, viene determinada por la sencillez aplicativa que permite, al mismo tiempo, alcanzar el objetivo que conduce, o autoconduce, al estado hipnótico.

Interacción hipnótica

Cada vez que dos o más sujetos modifican su comportamiento en función del comportamiento de los demás, es posible captar el significado de interacción social. En hipnosis, la interacción social es obligatoria y no sólo deseable.

Entre el hipnotizador y el sujeto (o los sujetos) debe establecerse un intercambio que permita el desarrollo del ítem hipnótico. Entre el hipnotizador y el hipnotizado se instaura tácitamente una especie de contrato que prevé —a cambio de una prestación que conducirá a un fin— una aceptación total de las órdenes impartidas. Es como si los dos decidieran: «Yo te prometo darte aquello que deseas y a cambio debes aceptar cualquier cosa que yo te proponga»; de este modo, el hipnotizador establece la meta que hay que alcanzar y el sujeto se presta a colaborar al máximo.

Así pues se puede afirmar que el sujeto que no acepta las sugestiones hipnóticas no ha entendido cómo se aplica la hipnosis, o está tan ensimismado y tan orgulloso que no mantiene los pactos establecidos. Cuánto más inteligente es el individuo, más fácilmente comprenderá que se trata de una interacción social con un intercambio recíproco de comportamientos sociales.

Debemos recordar que en el juego es fácil detectar el prototipo de interacción social, así como en su extremo encontramos la guerra. En el fondo, la práctica hipnótica se parece a un juego con intercambio de dones: yo te doy una cosa a ti y tú me das una a mí. Yo, como hipnotizador que soy, te doy el conocimiento, y tú, como hipnotizado que eres, me das tu confianza.

El intercambio es el tipo más frecuente de interacción social, y por intercambio se puede entender también un comportamiento de agradecimiento; así, por ejemplo, ante un saludo caluroso se puede responder con una sonrisa. En el diccionario de L. Gallino leemos qué debemos entender por la palabra *intercambio*: «La presencia de un sujeto individual o colectivo que pretende, en su favor, influir en la acción de otro sujeto que controla un objeto que a él le resulta agradable, ofreciéndole a cambio otro objeto menos agradable» (1978). Esta definición evidencia la convicción de que cada actor social cree que aquello que le viene dado vale más que cuanto él ofrece.

Los niños, cuando intercambian sus juguetes, se sienten atraídos por el objeto del otro y ambicionan cambiarlo por el suyo propio, convencidos de que aquel será más valioso.

Con frecuencia, uno de los componentes del intercambio es el dinero, que tiene menos valor para quien lo da que para quien lo recibe. Si compro un coche, me siento más satisfecho de tenerlo que si tengo su equivalente en dinero, mientras que para el vendedor sucede exactamente lo contrario.

Vemos, pues, por qué es importante que el sujeto desee intensamente alcanzar un determinado objetivo mediante la técnica hipnótica, pues de ese modo el hipnotizador percibirá que el sujeto aceptará todo aquello que él le proponga porque lo considerará de gran importancia. A través de la interacción social se desarrolla la socialización. Y así como el individuo está considerado un ser social por los aprendizajes presentados con más o menos coerción por la sociedad, así también en el ítem hipnótico el hipnotizador modela al sujeto como individuo hipnotizado que deberá actuar con relación a las reglas que le serán impartidas. Se podría afirmar que el estado hipnótico transforma la conciencia típica en conciencia diversificada. La diversificación se obtiene mediante las acciones cargadas de sentido que el hipnotizador ejecuta sobre el sujeto para poder alcanzar el objetivo. La técnica hipnótica que permitiría la acción está formada por reglas que utilizan determinadas cualidades del inconsciente, que permiten poco a poco la transformación al estado de conciencia.

Interacción entre objeto y sujeto

Cuando un ser humano es identificado con un código, perdiendo su identidad de ser y el derecho de existir por aquello que es, se sentirá como un objeto. Eso se produce en numerosas ocasiones a lo largo de la vida de un individuo: en la mili, durante una estancia en un hospital, frente a un funcionario...

El verdadero yo quiere sentirse vivo y presente y ser también partícipe de los acontecimientos. Debe creer que puede emitir un juicio y no sentirse un adorno decorativo en el ambiente, sino una parte activa de él.

A muchos de vosotros os habrá pasado que alguna vez os hayan llamado: «¡Eh, tú!», pues bien, en este caso la reacción será de antipatía y fastidio, porque nos han hecho sentir una cosa o un animal, y no un ser humano. Este comportamiento relacional no puede utilizarse en el ámbito de la sugestión hipnótica y, para aclarar aún más el tema que nos ocupa, leamos un párrafo de Metzger: «La gran diferencia que existe para muchas personas es que para que adopten un determinado comportamiento es preciso dirigirse a ellos mismos, servirse de la mediación del núcleo de su propio yo o bien actuar directamente —para alcanzar un objetivo que desde un punto de vista externo da exactamente lo mismo— sobre sus miembros en el caso de la constricción, sobre sus impulsos o deseos en el caso de la seducción o sobre sus costumbres indeseadas en el caso de la sugestión terapéutica. Sólo en el caso de la primera forma natural de influencia tenemos la sensación de ser tratados como personas, mientras que en el caso de la segunda nos sentimos rebajados a cosas, incluso cuando en la autosugestión la influencia surge de nosotros mismos» (W. Metzger, 1941). Si, por ejemplo, durante las sugestiones nombramos una parte del cuerpo: «Ahora tu brazo se pondrá cada vez más rígido», nosotros dedicamos nuestra atención al brazo, como si este no formara parte del sujeto.

Sin embargo, si nos referimos al Yo, comunicando, por ejemplo: «Ahora tú te sientes muy bien, cálmate y escucha todo lo que te digo...», entonces el sujeto es tratado como una persona.

En algunos pasajes técnicos es útil despersonalizar al sujeto intentando insertar las sugestiones constructivas; otras veces es necesario recurrir al yo para transmitir sentimientos y adquirir confianza.

Podemos, además, subdividir las sugestiones que tratan al sujeto como objeto en *penalizantes*, y aquellas que lo tratan como persona en *gratificantes*.

Relación comunicativa entre hipnotizador e hipnotizado

Cualquier tipo de comunicación (verbal o no) precisa de algunas características básicas para que pueda producirse el intercambio informativo. El hipnotizador asume el rol de Agente, y el sujeto, el de Receptor. Para que el sujeto comprenda (consciente o inconscientemente) el mensaje, debe antes conocerlo; cuanto más se acerca a su cultura, más se establece el vínculo comunicativo.

Enumeremos a continuación tres cualidades indispensables:

1. FUENTE: debe considerarse competente y desinteresada. El hipnotizador es competente porque conoce la técnica hipnótica, y su modo de proceder es desinteresado porque actúa para satisfacer las necesidades del sujeto.

2. SINTONÍA: debe ser comunicativa a fin de que se establezca un equilibrio entre hipnotizador y sujeto.

3. FINALIDAD: el mensaje debe satisfacer las exigencias psicofísicas del sujeto, que acepta gustoso lo que se le ofrece (quiere resolver los problemas). El sujeto no debe plantearse el problema de seleccionar del ambiente aquello que le resulta más útil desde el momento en que identifica en la figura del hipnotizador la información o sugerencia que él necesita.

El ambiente

De la práctica hipnótica forma parte una variable de enorme importancia: el ambiente operativo, es decir, el lugar elegido en donde se desarrolla la acción hipnótica. Los espacios utilizados en la sesión hipnótica influyen en los resultados obtenidos, sobre todo cuando se recurre a la hipnosis clásica. En ciertos lugares es más fácil aplicar la hipnosis que en otros, y cuando eso es posible es conveniente elegir un ambiente idóneo para poder llevar a cabo la práctica hipnótica. La habitación deberá presentar una iluminación tenue, lo ideal sería poder graduar la luz; el ambiente debe ser sobrio, sin reclamos que lo relacionen con la magia y el esoterismo. Es preciso disponer de una butaca cómoda y reclinable y, si es posible, provista de brazos. Al inicio de la práctica y, particularmente en las primeras sesiones, los ruidos producen molestias en el sujeto, al cual le cuesta relajarse, por eso es necesario atenuar los ruidos molestos con un murmullo. Yo, personalmente, utilizo un generador de «ruido blanco» al que se le llama injustamente «somnífero electrónico»,

---

FACTORES IMPORTANTES

1. Simpatía (no desmoralizarse).
2. Actitud de seguridad.
3. Rechazar el fracaso.
4. Estar relajados (el sujeto percibe cualquier nerviosismo nuestro).
5. Actitud serena y segura (y hablar poco).
6. Para ser hábiles es preciso creerse hábiles, y para creerse hábiles es preciso desearse hábiles.
7. No sentirse ridículos, aunque se ejecuten gestos extraños. Aquel que se sienta ridículo no conseguirá hipnotizar.

---

que genera un murmullo parecido al ruido de una cascada. No es conveniente recurrir a las piezas musicales, porque influyen en la sesión, aunque estas pueden utilizarse sólo en la primera fase, cuando se invita al sujeto al estado de relajación, pero aun así deberán ser piezas no marchosas, sino de música analógica.

Sugerencias

Conviene tener en cuenta las siguientes:

- Los sujetos no deben saber que sois novatos en la materia.
- No apliquéis la hipnosis a parientes cercanos.
- No rectifiquéis delante de los sujetos.
- Aclarad a los sujetos que no realicen ellos mismos los experimentos de hipnosis porque es peligroso (incluso para su salud), eso los asustará y así desistirán de querer probarlo.
- Decid que cualquiera puede hipnotizar, pues basta con tener el conocimiento de la técnica.
- Utilizad siempre la misma butaca y la misma habitación.
- Procurad que la hipnosis se realice en casa del hipnotizador y no en casa de los sujetos (son ellos los que deben desplazarse) a menos que no pueda hacerse de otro modo.
- Tened a mano la ficha de los sujetos y los experimentos.
- Si no se conoce al sujeto, es conveniente familiarizarse con él antes de iniciarse en la práctica hipnótica.
- Adaptación: es preciso cambiar las técnicas de vez en cuando, de lo contrario se desarrolla una costumbre, porque el sujeto conoce ya el test y su continuación.
- No improviséis la práctica, hay que prepararla.
- Explicad que la hipnosis no existe, que sólo existe la autohipnosis, es decir, el autogobierno del propio sujeto.

Sistemas inductivos

Son básicamente cuatro los métodos mediante los cuales se aplican los distintos sistemas inductivos del estado hipnótico. Por norma general no se suele recurrir solamente a uno de ellos, sino que se utilizan todos a la vez, en función de la personalidad del sujeto y de sus respuestas en los test inductivos.

Colaborador

Método suave, parecido al comportamiento del *maternage*, por lo tanto afectivo y protector. En este sistema desempeña un papel importante la simpatía y la confianza que el sujeto deposita en el hipnotizador. La estima conlleva a una aceptación espontánea de todo lo que se propone. Cuanto más fuerte es el vínculo entre hipnotizador e hipnotizado, más estrecho será el nivel de colaboración.

En este tándem, la figura del hipnotizador debe ser altamente significativa, pues es aquella que, como un padre o una madre, guía a sus propios hijos. El hipnotizador se convierte en el tutor que, con su saber, se dirige hacia los adecuados escenarios cargados de alcanzables dones.

Impositivo

Se trata del sistema más autoritario y fuerte al que se puede recurrir. El hipnotizador debe ser asumido por el sujeto como «otro autoritativo», que en el ámbito sociológico viene definido «como aquel que tiene un poder real sobre el sujeto o en alguna forma de autoridad más o menos legítima» (Gallino, 1989).

Con el sistema impositivo se obliga al sujeto a renunciar a la crítica. Para Freud la hipnosis es una técnica autoritaria y coercitiva.

En la aplicación de las técnicas hipnóticas, las determinadas imposiciones transmitidas al sujeto están sabiamente dosificadas y sólo sirven para disminuir el umbral de crítica racional. Por ejemplo, decirle al sujeto que se quite el reloj o cualquier collar forma parte de la imposición, pero en ese contexto no se entiende como una acción coercitiva, ya que el sujeto creerá que la petición forma parte de la praxis. En el método impositivo, el sujeto se ve obligado a aceptar las sugestiones por una imperiosa necesidad de deber dictada por el inconsciente.

Engañoso

El sujeto es guiado para que acepte comportamientos no habituales. La aplicación engañosa se lleva a cabo de manera muy sutil, de modo que, desde el punto de vista consciente, el sujeto no es capaz de percibirla. Como mucho, se trata de engaños de carácter fisiológico y de acciones inmotivadas o trucos perceptivos.

Los engaños a los que recurre el hipnotizador son ingenuos y no pueden comportar daño alguno. Por ejemplo, se invita al sujeto a que junte los talones cuando, en realidad, ya los mantiene juntos; o bien se le invita a que fije su atención, con los ojos cerrados, en un punto en el centro de la frente y, al mismo tiempo, a que intente abrirlos, diciéndole que no lo conseguirá. En realidad, si desplaza la mirada hacia arriba, que es la posición de los globos oculares durante el sueño, resulta imposible, al mismo tiempo, abrir los ojos.

De intercambio

En el ámbito del sistema inductivo del intercambio se establece el proceso de «adaptación», en el cual el sujeto se «adapta» a los requisitos de comportamiento que el hipnotizador le propone, disminuyendo el umbral de tolerancia y aceptando la «fusión» de los conceptos. La adaptación es el fruto de la interacción del «ambiente hipnótico», que, aunque sea coreográficamente, contribuye a facilitar dicho proceso.

Para el sociólogo americano Talcott Parsons (1902-1979), la referencia a las ciencias biológicas nos conduce al concepto evolucionista, en el sentido de que el sujeto debe (imperativo funcional) adaptarse pasivamente a un determinado ambiente que, a partir del cual, se convierte en prioritario. El ambiente al cual se hace referencia es el «hipnótico», que se presenta también como «ambiente social» particular y extraordinario. En el proceso hipnótico entre hipnotizador e hipnotizado se establece una relación social en el curso de la cual cada uno modifica el propio comportamiento con relación a los cambios o a la acción del otro. La puesta en juego que ofrece el hipnotizador es la de alcanzar un fin, un objetivo, al cual el sujeto anhela llegar. Este último aceptaría indiscutiblemente todo lo que le sea propuesto con tal de conseguir el propio fin. Se produce una especie de intercambio, en el sentido de que el hipnotizador proporciona el conocimiento de la práctica hipnótica y el sujeto, a cambio, se somete a ella. Trasferido a un plano más elemental se podría explicar con la hipotética frase: «Si haces aquello que te digo, serás premiado». Dicha proposición se podría definir como intercambio o reciprocidad. El sujeto, una vez ha aceptado someterse al ítem hipnótico, se siente prácticamente obligado a intercambiar el favor con la observación de los modelos hipnóticos aplicables. En el contexto «del ambiente hipnótico», el proceso de intercambio se incrementa notablemente, sobre todo porque se trata de una situación extraordinaria y anómala.

TÉCNICAS
Y EJERCICIOS
DE PRUEBA

El inconsciente está provisto del poder creador
del que surge una obra genial.
Eso se manifiesta a través de la inspiración,
que revela una potencia superior al individuo consciente,
Y ajena a él.
SERGEI VORONOFF

Acción relajante - fase operativa

Una buena relajación se obtiene enumerando al sujeto todas las ventajas que esta comporta, diciéndole que aquel que se relaja se siente mejor, que quien vive relajado y tranquilo vive más tiempo. Es preciso, también, explicar al sujeto el proceso de relajación antes de realizar el primer test.

Una de las primeras sensaciones que sentirá será de tranquilidad, percibirá cada parte de su cuerpo; la calma y la tranquilidad se difundirán por todo su ser. La sangre circulará mejor, irrigando con mayor intensidad cada parte del cuerpo; percibirá agradables sensaciones en la zona de los pies que, luego, subirán hasta la cabeza. El sujeto experimentará una sensación de flojera.

Al comenzar la relajación se le puede decir: «En breve, usted empezará a experimentar sensaciones nuevas e insólitas que yo mismo le haré sentir; es muy probable que alguna de estas sensaciones se le escapen, pero eso es porque no está todavía acostumbrado a este nuevo estado...». Al principio de la relajación es preciso efectuar algunas respiraciones profundas. También se le pueden enseñar al sujeto las técnicas de relajación para que, durante la semana, él las pueda repetir por la noche, al acostarse o en momentos propicios del día.

Para potenciar al sujeto sus propias capacidades de relajación de los músculos, se le deberá aplicar el test del brazo, que consiste en hacerle apoyar el antebrazo, la parte cercana a la muñeca, sobre nuestra mano.

Se le quita entonces de pronto el punto de apoyo y, si el sujeto ha relajado los músculos, el brazo caerá como un peso muerto hacia abajo, mientras que de lo contrario permanecerá suspendido.

Para ayudar al sujeto a comprender este test, es aconsejable que el hipnotizador lo practique primero, haciéndole observar a este la dinámica y su buen resultado.

Autohipnosis - Test del brazo relajado

Comprobad vosotros mismos el ejercicio del brazo relajado, apoyando el antebrazo izquierdo sobre vuestra mano derecha, y luego quitando de pronto la mano derecha con el fin de que el brazo izquierdo caiga como un peso muerto. Ejercitadlo hasta que el test sea superado.

Test ideomotores

Por *test ideomotores* se entienden todos aquellos procedimientos que están relacionados con las acciones de movimiento y de postura. La acción muscular como respuesta a una sugestión hipnótica se llama *acción psicomotora*, o como determinó William James (1842-1910), *respuesta ideomotora*, razón por la que los test que están relacionados con la acción muscular se denominan *ideomotores*. Por lo general, en estos test no se modifican los parámetros biológicos del organismo, sino que se instauran o se fijan en el sujeto ideas que no le permiten alternativas de conducta. Eso es posible porque durante el ítem hipnótico se modifica la valoración crítica y el sentido lógico. En los test ideomotores se realizan variaciones del *output* del motor.

Los test ideomotores se utilizan en la fase inicial de la inducción hipnótica y forman parte de los métodos de inducción de la hipnosis. Su función consiste en atenuar las defensas de la conciencia analítica y alentar la atención del otro generalizado. Normalmente una sesión hipnótica se inicia con la aplicación de los test ideomotores, llamados también *experiencias ideomotoras*. Dichos test se pueden subdividir en dos grupos: los test *versivos* y los *inversivos*.

Los primeros aplican órdenes coherentes a la acción que hay que ejecutar, por ejemplo si se dice: «Se sentirá atraído hacia atrás», el sujeto caerá hacia atrás. Los inversivos, sin embargo, chocan con la realidad e invierten los parámetros perceptivos, así por ejemplo, un objeto a temperatura ambiente será percibido a una temperatura abrasadora.

TEST VERSIVOS E INVERSIVOS

Se pueden dividir en positivos y negativos. En los positivos se instaura una acción semejante a la sugestión, es decir, prevalece la coherencia. En los negativos la sugestión prohíbe una acción normalmente realizable. Ambos forman parte de los test preliminares y se denominan también *pruebas inductivas*.

VERSIVOS EN POSITIVO: 1. atracción posterior
2. atracción anterior

VERSIVOS EN NEGATIVO: 1. bloqueo de los párpados
2. unión de las manos
3. bloqueo de la extremidad o extremidades superiores
4. bloqueo de la extremidad o extremidades inferiores
5. bloqueo sobre la silla

TEST INVERSIVOS: 1. objeto cerrado
2. objeto muy pesado
3. objeto ardiendo
4. barrera infranqueable
5. levitación de la extremidad

Pruebas de sugestión

Por pruebas de sugestión se entienden las técnicas cuya finalidad es la de tantear y combatir las resistencias del sujeto.

Caída hacia atrás o atracción hacia atrás - Preliminares

Con este test, en apariencia sencillo, se puede obtener una gran información; es preciso prestar mucha atención, ya que es decisiva para el ítem hipnótico que se aplicará al sujeto a continuación.

Las mujeres que llevan tacones altos deberán quitarse los zapatos.

Es el hipnotizador, y no el sujeto, el que deberá escoger la parte de la habitación en donde se realizará el test. Es conveniente también elegir primero un lugar y después cambiarlo, para que el sujeto dé algunos pasos. De este modo se constatará que este se halla bajo nuestra guía y que está sometido a nuestra voluntad. Ordenadle al sujeto que se quite, por ejemplo, el reloj o una pulsera, de este modo continuará aceptando las imposiciones, y si preguntara el motivo, es preciso encontrar con rapidez cualquier pretexto o decirle que más tarde se le dará una explicación, con el propósito de no mostraros inseguros ante la pregunta. No coloquéis al sujeto bajo una luz directa.

Ordenadle que junte los talones dando un pequeño golpecito con el pie (de este modo asumirá una nueva imposición) y haced que una las puntas.

Si el sujeto empieza a hacer preguntas, es preciso interrumpirlo enseguida y decirle: «Después de la prueba ya hablaremos».

Ordenadle que cierre los ojos y que mire hacia arriba, fijando la mirada en un punto imaginario por encima de las cejas, un poco más arriba del nacimiento de la nariz.

Ordenadle que levante la frente, inclinándole un poco la cabeza hacia atrás y tocando ligeramente la frente con la mano.

Pedidle que respire profundamente, y al mismo tiempo lo haréis también vosotros, así se establecerá una mayor sintonía y conexión con el sujeto.

Situaros detrás del sujeto y, durante unos segundos, colocad las manos sobre sus hombros. Eso significará analógicamente la toma de posesión.

Y también significará una manera de controlar el estado de relajación alcanzado por el sujeto. El control se puede efectuar con las siguientes comprobaciones:

- impulsando al sujeto hacia atrás, y que no quede rígido;
- levantando un poco los brazos, que deben caer libremente;
- observando si las manos están relajadas: si lo están, los dedos estarán ligeramente flexionados; si no lo están, la mano estará cerrada en un puño;
- haciendo flexionar un poco las rodillas del sujeto, que no deben estar rígidas;
- recordar que la tendencia a la risa por parte del sujeto es una manifestación nerviosa.

Si el sujeto está relajado se proseguirá con el test, eligiendo entre dos técnicas: la de contar o la de las sugestiones.

Técnica de contar

Consiste en aplicar sugestiones como: «Escuche bien: ahora contaré hasta 7, cuando llegue a este número usted caerá hacia atrás, hacia mí, una fuerza lo arrastrará hacia mí, y yo lo aguantaré perfectamente... 1... 2... cada vez se siente más atraído hacia atrás, 3... cae hacia atrás, 4... 5... siempre se siente más atraído hacia atrás... 6... piense: "yo caigo hacia atrás"... 7.

En este momento será preciso sostener al sujeto por los costados, a la altura del tórax. Para aguantar bien el peso de cualquier persona, bastará con apoyar los propios codos en el tórax y desplazar una pierna hacia atrás para que haga de sólido apoyo. Hacer coincidir la caída con el fin del recuento. Si el sujeto tiende a anticipar la caída, es necesario acelerar el proceso de recuento.

Técnica de las sugestiones

En este caso se recurre sólo a las sugestiones. Después de haberse situado detrás del sujeto y de haber llevado a cabo los preliminares se impartirán sugestiones como esta: «En unos momentos se sentirá atraído hacia atrás y se dejará caer, porque yo lo aguantaré perfectamente. Ahora repita mentalmente estas palabras: "Yo caigo hacia atrás, yo caigo hacia atrás, cada vez me siento más atraído hacia atrás"».

Aclaraciones para el recuento

En el test de la atracción hacia atrás, y en otros, se recurre al recuento. El número elegido debe ser siempre impar —a excepción del 10—, porque los números impares representan una llegada, una conclusión, y sugieren la idea de completo; por el contrario, los números pares indican (para el inconsciente) una espera, una etapa, es decir, algo inacabado. El número 10, pese a ser un número par, indica el término de la decena. Es conveniente atenerse a esta elección, pese a que desde un punto de vista racional podría resultar discutible. Los números se cantan (verbal o mentalmente) con ritmo y a intervalos iguales. Entre el penúltimo y el último número se dobla el tiempo de la pausa y se pronuncia con un tono (o mentalmente en autohipnosis) más alto e imperativo. Esta técnica provoca en el inconsciente una dinámica favorable para la ejecución del test impartido. La cadencia, siendo monótona, resulta agradable al inconsciente, que, sin embargo, al haberse habituado ahora a un cierto ritmo se da cuenta de que a causa de la pausa prolongada algo anómalo está sucediendo. El nivel de tensión aflora y es como si se disparara un resorte que en el número final restituirá la fuerza acumulada.

Salvo para deshipnotizar al sujeto, como norma general no se eligen nunca números superiores a 10.

AUTOHIPNOSIS: TEST DE LA CAÍDA HACIA ATRÁS

Colocaos aproximadamente a 10-20 centímetros de espaldas a una pared desnuda, juntad bien los pies, cerrad los ojos y fijad imaginariamente un punto en el centro de la frente. Respirad lenta y profundamente, luego asumid las sugestiones de este tipo: «Te sientes atraído hacia atrás, cada vez más, te dejas caer, yo caigo hacia atrás», repetid la sugestión más veces hasta que os sintáis tan atraídos hacia atrás que tengáis la necesidad de apoyar los hombros sobre la pared.

O por el contrario, como en la aplicación de la heterohipnosis, se recurre al recuento. Después del test es preciso analizar las sensaciones que se han sentido y que, una vez finalizado el ejercicio, pueden todavía estar presentes:

• temperatura del cuerpo ligeramente más alta; debería sentirse una sensación de tibieza;
• respiración calmada y lenta;
• corazón que late de manera rítmica y regular;
• manos sudadas; una cierta sudoración es positiva, sin embargo, si la sudoración es abundante es síntoma de ansiedad;
• sensaciones de paz, de tranquilidad y serenidad;
• prestar atención a los primeros pensamientos después del test. Es positivo si los pensamientos son agradables y claros.

Análisis del test

Si en el momento en que el sujeto está a punto de caer hacia atrás retrocede un paso, quiere decir que no se fía de vosotros. Los obstáculos lo asustan, teme el enfrentamiento con los demás, se siente inseguro.

Si cae antes de que terminéis de contar, significa que es realmente sugestionable, que acepta fácilmente las ideas de los demás. Es, por lo tanto, también un sujeto adecuado para la autohipnosis. Probad de nuevo el test escogiendo un número más bajo.

Si el sujeto no advierte ninguna fuerza que lo atraiga pero en el último número cae hacia atrás, quiere decir que se trata de una persona que acumula energía, que es impulsiva, desprende una falsa seguridad y tiene una alta consideración de sí misma. Es, de todos modos, un buen sujeto.

Si el sujeto se siente atraído hacia atrás y oscila pero no cae, quiere decir que hay un bloqueo. Puede ser el miedo a la caída, por lo que en ese caso será preciso realizar algunas pruebas prácticas con los ojos abiertos para hacerle caer hacia atrás a propósito. Repetid el ejercicio hasta que el sujeto haya vencido el miedo de caerse hacia atrás.

Si el sujeto no experimenta ninguna sensación, no se tambalea ni se cae hacia atrás, quiere decir que no habéis realizado el test adecuadamente o que el sujeto no ha comprendido el significado de lo que se ha descrito al hablar de hipnosis.

Atracción hacia delante o caída hacia delante

Este test inductivo forma parte de los «métodos de oscilación» y se le conoce comúnmente por la «prueba de la caída hacia delante». Se trata de un test más difícil que el de la «caída hacia atrás». El sujeto debe bajar la guardia del propio espacio íntimo, es como si se dejara caer entre los brazos de un extraño. Es preciso tener en cuenta que la dificultad de dejarse caer hacia delante puede representar el temor por lo que a la sexualidad se refiere. Con el éxito de esta prueba inductiva, el sujeto delegará una mayor confianza en el hipnotizador.

El test de la caída hacia delante se puede realizar de dos maneras: en la primera el sujeto tiene los ojos cerrados, en la segunda los mantiene abiertos. El test de la caída hacia delante no puede llevarse a cabo en autohipnosis.

• CAÍDA HACIA DELANTE CON LOS OJOS CERRADOS. La aplicación es parecida al test de la caída hacia atrás, sólo varían las frases sugestivas, en las cuales se sustituye la palabra *atrás* por *delante*; por ejemplo: «Se siente atraído hacia delante, hacia mí...». En este test ideomotor se apoyan ligeramente las manos sobre los hombros del sujeto (que permanece con los ojos cerrados) proporcionándole la seguridad que se manifestará seguidamente; cuando se comienza a hablar se retiran las manos de los hombros. Si las mujeres llevan zapatos de tacón alto, no es preciso que, en este caso, se los quiten. El hipnotizador sigue también el ritmo respiratorio del sujeto, teniendo la delicadeza de no echarle el aire espirado a la cara. Si el sujeto presenta una resistencia considerable a dejarse caer hacia delante, es preciso hacerle abrir los ojos e invitarlo a que se desplace hacia delante para que adquiera seguridad. Después se le realizará el verdadero test.

- CAÍDA HACIA DELANTE CON LOS OJOS ABIERTOS. La diferencia sustancial con respecto al test anterior radica en que ahora el sujeto debe mantener los ojos abiertos. El hipnotizador fija la mirada intensamente, sin parpadear, en el centro de la frente del sujeto, en el nacimiento de la nariz. El sujeto tendrá la sensación de que es observado con la mirada en ambos ojos. El hipnotizador le dirá al sujeto que mire a su ojo derecho con el fin de que no desplace la mirada hacia cualquier parte o se distraiga. A continuación se comenzará con las sugestiones, tal como se procede con la caída con los ojos cerrados. La modalidad de los ojos abiertos es muy sugestiva, pero le exige al hipnotizador un esfuerzo mayor, debido a la dificultad de tener que mantener durante todo el tiempo de la fijación, la mirada inmóvil. Para superar dicho obstáculo, se puede recurrir a un pequeño truco, que consiste en hacerle cerrar los ojos al sujeto durante unos segundos, aprovechando la ocasión para poder parpadear y descansar los ojos. Cuando se le ordene al sujeto que abra los ojos de nuevo, este se volverá a encontrar con la mirada fija del hipnotizador y no se percatará de ese subterfugio. Si lo deseáis os podéis entrenar, intentando fijar la mirada en un punto colocado a 60-70 cm de distancia.

Método del bloqueo ocular o de los párpados pesados

Hay que aproximarse al sujeto a una distancia de 40 centímetros y utilizar la técnica de la fijación. Pedidle al sujeto que os mire fijamente (si es posible a un solo ojo). El hipnotizador fijará la mirada en el centro de la frente del sujeto, en un punto entre las cejas, y mejor aún si la fija en un punto detrás de la cabeza. De este modo el sujeto tendrá la impresión de ser observado en ambos ojos a la vez. Se deben pronunciar sugestiones como: «Abra los ojos, cierre los ojos, abra los ojos, cierre los ojos…, continúe así, sus párpados se sentirán cada vez más pesados, cuanto más intente abrirlos más pesados le resultarán…

Por momentos sus párpados son cada vez más pesados, no puede abrir los ojos porque pesan mucho... y no podrá abrir los párpados hasta que yo no se lo diga... cada vez es más difícil abrir los ojos..., ahora contaré hasta 5 y cuando llegue a 5 no podrá abrir los párpados, no podrá abrirlos porque no deseará hacerlo...».

Para facilitar el bloqueo se le puede decir al sujeto que cierre los ojos; con las yemas de los dedos, se le presionarán ligeramente los globos oculares en sentido lateral-medial, favoreciendo el reflejo óculo-cardiaco de Dagnini-Aschner, que modifica la frecuencia cardiaca.

AUTOHIPNOSIS - TEST DE BLOQUEO OCULAR

Practicad el test recurriendo a sugestiones tales como la inducción de la pesadez de los párpados con la negación de poder abrir los ojos. Cuando se quieran abrir se dirá: «Ahora contaré hasta diez, y cuando llegue a diez podré abrir los ojos».

Técnicas de bloqueo ocular mediante el método de la fijación de un objeto

En estas técnicas se recurre, para provocar la pesadez de los párpados o la imposibilidad de poder abrir los ojos, a la utilización de un objeto cualquiera. A menudo utilizadas por muchos hipnotizadores, dichas técnicas permiten llevar a cabo numerosas variantes. Repasemos sólo algunas:

• MÉTODO DE LA FIJACIÓN DEL DEDO. El hipnotizador pide al sujeto, que está sentado cómodamente en una butaca, que fije la mirada en el índice de la mano derecha, o bien en el pulgar, dirigiéndolo hacia abajo. El dedo deberá estar a la altura de los ojos, a una distancia de aproximadamente 30-40 centímetros con el fin de que el sujeto encuentre una cierta dificultad en la visión, a causa de la convergencia de los globos oculares. La fijación de un objeto en estas condiciones provoca, de por sí, un considerable cansancio ocular, el cual es potenciado al intercalar sugestiones que invitan al sujeto a un agradable sopor y a desistir de abrir los ojos. Por lo que respecta a las sugestiones, se procede de igual modo que para el bloqueo ocular ya descrito. En general, si el sujeto abre los ojos, es preciso ordenarle que los cierre, y tocándole el punto en el centro de la frente, entre las cejas, hay que decirle: «Fije el punto hacia arriba e intente abrir los ojos...». Al fijar el punto en lo alto, el sujeto no podrá abrir los ojos a causa de la convergencia de los globos oculares. Si se ha producido el bloqueo ocular, el sujeto presentará una respiración más profunda, y se podrá pasar entonces al siguiente test o bien se le despertará con la técnica de contar: «Contaré hasta 5, y cuando llegue a 5 se despertará».

- MÉTODO DE LA FIJACIÓN DEL LÁPIZ. Hay que conseguir una pluma redonda o un lápiz y apoyarlo sobre la frente del sujeto. La punta no debe estar perpendicular a la frente, sino inclinada. Se debe acercar el lápiz unos centímetros, un par o tres de veces, y luego alejarlo y mantenerlo a una distancia fija de aproximadamente 30-40 centímetros. A veces se puede también fijar un punto alto en la pared, o en el techo, de forma que el sujeto se vea obligado a desplazar la mirada hacia atrás. Luego se continuará con la técnica verbal descrita.

- MÉTODO DE LA FIJACIÓN DE UN OBJETO BRILLANTE. Es el más sugestivo y teatral de todos, y consiste en fijar la atención en un pequeño objeto de cristal tallado que refleje la luz, mejor aún si la descompone en los colores del iris. Otras veces puede emplearse también la llama de una vela a la que el sujeto debe fijar la mirada. En ambos casos, deberán impartirse sugestiones para provocar la sensación de pesadez de los párpados.

- MÉTODO DE LA FIJACIÓN DE UN OBJETO EN MOVIMIENTO. En este método se suele recurrir a un péndulo, es decir, a un pequeño objeto suspendido de un hilo que se hace oscilar delante de los ojos y al que el sujeto debe fijar su atención. Otras veces se recurre al uso de una espiral en movimiento que al girar debe cerrarse hacia el centro; también en este caso la acción es muy sugestiva. Un estudio riguroso se ha basado en la acción de las luces estroboscópicas encendidas de manera intermitente, particularmente la impresión «del salto» que produce cuando son dos las luces que se encienden de forma intermitente, hasta poder considerar dicha dinámica como un sistema de inducción al «trance hipnótico».

Inductor de trance hipnótico

En los últimos años, la psicología de la visión ha cambiado su propia posición con respecto a la percepción del movimiento. De hecho, se

---

INDICADORES POSITIVOS DEL BLOQUEO OCULAR

El ritmo respiratorio diminuye progresivamente.

La pupila se dilata (señal de que el sujeto se dirige hacia el sueño hipnótico).

Si la pupila se desplaza hacia atrás, es decir, hacia arriba, el sujeto ha alcanzado el sueño hipnótico.

Si se ve una parte de la esclerótica (blanco del ojo) es una buena señal.

Una vez conseguido el bloqueo ocular se determinará si se debe pasar al verdadero estado hipnótico o si se procederá a deshipnotizar al sujeto. Hay que acordarse de que, antes de terminar, se debe decir al sujeto: «Cuando se despierte se sentirá muy bien, se sentirá tranquilo y distendido...».

---

ha pasado de una noción de imagen visiva, descrita estadísticamente como un acto imperturbable, a un modelo en el que la información óptica se perfila en términos dinámicos.

Nace así el concepto de flujo visivo, según el cual la información óptica es distribuida en un modo que comporta una situación luminosa estacionaria debido a los cambios ambientales.

El efecto estroboscópico más simple se obtiene encendiendo y apagando alternativamente dos luces que se hallan colocadas a una cierta distancia entre ellas (distinto campo visivo). El inductor del trance consta de dos fuentes luminosas puntiformes obtenidas con diodos led que suministra un multivibrador variable que permite intervenir sobre la duración de su encendido. En un ambiente oscuro, el efecto estroboscópico es viable gracias al mimetismo ambiental del aparato, que al ser negro no permite ser identificado en el ambiente. Los efectos obtenidos forman parte del grupo de condiciones estroboscópicas definibles en los siguientes tres postulados:

1. SEGREGACIÓN ESPACIAL. Las dos sensaciones visivas deben comportar la localización de una única luz que se desplaza en un espacio. El sujeto no se da cuenta de que se trata de dos luces que se encienden y se apagan alternativamente. Su posición espacial produce dos sensaciones distintas de posición: lo que se ve es el salto de una sola luz.

2. ORDEN TEMPORAL. La alternancia se produce en un cierto tiempo, en el cual las dos luces permanecen abiertas; dicho tiempo es variable gracias a la presencia de un sistema de regulación que actúa sobre la duración de la iluminación. Variando el tiempo se obtiene la sensación de un cambio espacial que se acelera o disminuye según se opera sobre un aumento más corto en un tiempo de intervalo más breve o viceversa.

3. SEGREGACIÓN FIGURAL. Las dos luces, percibidas como una sola en continuo desplazamiento hacia delante y hacia atrás, deben ser segregadas en el ambiente que, de este modo, asume el rol de fondo. De este modo el sujeto no está en condiciones de discernir el contenedor de la inducción ni el lugar que lo alberga. Existe un ambiente oscuro y una luz que se desplaza más o menos velozmente en un espacio «s».

La psique del sujeto no revela que se trate de dos luces o de objetos luminosos, sino que captará la presencia de un solo objeto en movimiento. La pausa mínima, por debajo de la cual no se obtendría el resultado estroboscópico, es de 40 milésimas de segundo; dicho tiempo se denomina *minimum separable*. Si este tiempo de intervalo se reduce, el orden de presentación temporal se vuelve casual, es decir, el sujeto ya no estará en condiciones de discernir entre el primer y segundo estímulo. Para poder realizar intervalos más breves, es necesario aproximar entre ellos dos fuentes luminosas en detrimento de la clara sensación del salto espacial y, por lo tanto, de una menor intensidad sensorial.

En definitiva, lo que se obtiene en el salto estroboscópico es la impresión de la inversión espacio-temporal. Los dos estímulos luminosos, presentados en aumento y disminución alternativamente en dos posiciones espaciales fijas, producen la impresión de un desplazamiento hacia delante y hacia atrás.

Lo que es fijo, como la posición espacial, se vuelve móvil, y lo que es variable, como el tiempo, es omitido.

Agarrotamiento del brazo o bloqueo del brazo

Después del bloqueo ocular se puede realizar el test del agarrotamiento, con sugestiones de este tipo: «Levante el brazo derecho (si es zurdo, levante el izquierdo), desplácelo hacia delante y cierre el puño (el movimiento debe ser lento)... ahora sentirá cómo su brazo se entumece cada vez más... ahora contaré hasta 7 y cuando llegue a 7 su brazo estará completamente agarrotado, desde el hombro hasta la muñeca, tan agarrotado que cuando le pida que lo doble no podrá hacerlo...; a medida que vaya contando, su brazo se agarrotará cada vez más... estará realmente rígido... y cuando llegué a 7 no estará en condiciones de doblarlo... sólo podrá doblarlo cuando yo se lo diga...». Se puede mantener el bloqueo y ordenarle al sujeto que abra los ojos mientras continúa con el brazo rígido hasta que se le dé la orden de que puede flexionarlo.

La serie de sugestiones idóneas para el agarrotamiento del brazo son: duro, rígido, sólido, agarrotado, inflexible, todo de una pieza, compacto, solidificado, turgente, petrificado, inamovible, como una barra de acero, un bloque de piedra, rigidísimo, durísimo; músculos: tensos, contraídos, bloqueados, fijos.

Con estos test continuamos manipulando la atención del sujeto para disminuir los umbrales de verificación por parte del yo racional.

AUTOHIPNOSIS: TEST DEL BRAZO RÍGIDO

Esta prueba no es indispensable, pero si se desea se puede provocar la dinámica del agarrotamiento del brazo recurriendo a la aplicación que se ha descrito antes. En la autohipnosis se mantienen los ojos cerrados, incluso después del agarrotamiento.

El hipnotizador no debe necesariamente mostrarse superior, pero sí es conveniente que asuma una posición ventajosa con respecto a él, de este modo es fácil controlar las reacciones del sujeto e imponer a través de las sugestiones las condiciones deseadas.

Manos unidas o manos pegadas o cruzadas

Preliminares:

- ordenad que el sujeto se quite los anillos;
- procurad que el sujeto se siente (si es posible);
- ordenad que realice respiraciones profundas;
- ordenad que junte las manos y que los pulgares se toquen;
- ordenadle que desplace ligeramente los codos hacia delante;
  las manos pueden permanecer cerca o alejadas del pecho;

- respirad en sintonía con el sujeto;
- presionad ligeramente las manos del sujeto, una contra la otra;
- las piernas no deben estar separadas;
- el hipnotizador cogerá las manos del sujeto durante unos segundos.

Utilizad sugestiones de este tipo: «Sus manos se juntarán cada vez más... Yo contaré hasta 10, y a cada número sus manos se juntarán cada vez más, 1... 2... al llegar a 10 estarán perfectamente juntas y no podrá separarlas... 3... 4... estarán juntas y sólo podrá separarlas cuando yo se lo diga... 5... 6... sus manos se unen... 7... 8... están adheridas una a la otra... 9... por muchos esfuerzos que haga permanecerán unidas... Ahora puede separarlas, relájese y separe las manos». Se le puede sugerir también al sujeto que las separe sólo cuando el hipnotizador pronuncie un número determinado.

El test puede efectuarse tanto con los ojos cerrados como con los ojos abiertos.

AUTOHIPNOSIS: MANOS JUNTAS

Este apartado suele excluirse de la práctica autohipnótica.

Si durante la fijación el sujeto tiende a cerrar los ojos, es conveniente dejar que lo haga. Si el test se realiza con los ojos abiertos, es preciso que el sujeto fije la mirada en un punto en el centro de la frente y haced que mire vuestro ojo derecho con la intención de que no pueda mirarse las manos.

Bloqueo en la silla

En definitiva, este test no es más que el bloqueo de las extremidades inferiores, con el requisito de que se aplican una serie de sugestiones que impedirán al sujeto que se pueda levantar.

Se aplica con el sujeto sentado, si es posible, en una butaca cómoda: el sujeto deberá mantener los ojos cerrados y se le impartirán sugestiones como: «Sus piernas están cada vez más agarrotadas, la rigidez empieza por los pies y se desplaza cada vez más hacia arriba, sus

Bloqueo en la silla. Esta prueba puede emplearse también en autohipnosis deteniéndose en la rigidez de las extremidades interiores. La prueba no es indispensable si el sujeto no consigue levantarse

piernas están cada vez más rígidas, cada momento que pasa sus piernas están cada vez más rígidas, cuantos más esfuerzos haga más rígidas estarán y no podrá levantarse de la silla... inténtelo pero no lo conseguirá... sólo podrá hacerlo cuando... (por ejemplo, cuando yo dé una palmada).

Si se desea, se puede provocar el bloqueo primero en una pierna y luego en la otra. También se puede utilizar la técnica de contar: «Contaré hasta 5, y a cada número sus piernas estarán cada vez más rígidas...; cuando llegue a 5 intentará levantarse, pero no lo conseguirá, y sólo lo logrará cuando... (por ejemplo diga el número 6... y dé una palmada... etc.)».

Recordemos una vez más que el lenguaje debe ser simple para que sea de fácil comprensión. Debemos señalar que con el término *pierna* se entiende la parte anatómica que va desde la rodilla al pie, y que la extremidad inferior está compuesta de muslo, pierna y pie, aunque en el lenguaje común cuando nos hacemos daño en el muslo decimos que nos duele la pierna. En el lenguaje hipnótico es preciso recurrir al uso popular de la comunicación. Sin embargo, también es cierto que un licenciado en medicina podría replicarnos debido a un léxico equivocado, por lo que en ese caso diréis: «Ahora ponga su atención en la extremidad inferior que, para mayor comodidad, de ahora en adelante, llamaremos simplemente pierna».

Hay que recordar lo siguiente:

• tranquilizad a los sujetos diciéndoles que no se dormirán, sino que siempre estarán despiertos y serán conscientes de todo, y que sólo harán aquello que les resulte gratificante;
• decidles que será una experiencia muy agradable;
• mantened siempre una actitud participativa y autógena;

- no llaméis nunca al sujeto con el nombre de *conejillo de Indias* o similares;
- no digáis jamás: «Venga, que le haré un test preliminar», sino «Venga, que haremos un test preliminar» (pese a ser poco elegante y poco técnico el término *hacer* es fácilmente comprensible).

La deshipnotización

Puesto que el sujeto no duerme, es obvio que al término de la sesión no es preciso despertarlo, pese a que en el lenguaje común nos refiramos al término *despertar*. La vuelta a la realidad, reforzada por procesos inconscientes, debe ser gradual o ir acompañada de sugestiones gratificantes, por eso es conveniente decirle al sujeto: «Cuando se despierte se sentirá perfectamente bien, estará tranquilo y relajado, se sentirá en forma».

Para salir gradualmente del estado de hipnosis se recurre al recuento, así por ejemplo se le dirá al sujeto: «Escuche, en breve contaré hasta 20, y cuando llegue a 20, no antes, podrá abrir los ojos. Bien, comencemos el agradable despertar, 1... 2... 3... etc., hasta 20, intercalando de vez en cuando: "a cada número el sueño es cada vez más ligero"». Incluso en este caso, la palabra *sueño*, desde el punto de vista psicológico está equivocada, pero es muy usual y, por lo tanto, también más fácilmente aceptable.

Si se diera el caso de que un sujeto, cuando el hipnotizador llega al número 20, no sale del estado de hipnosis, se le ordenará que respire profundamente y se le dejará en lo que se llama sueño hipnótico, permitiendo que este se despierte por sí mismo. De hecho, cualquier persona puede salir de manera espontánea del estado hipnótico, pasando del sueño fisiológico al estado normal de vigilia. En este aspecto no hay peligro alguno.

Una vez el sujeto haya sido deshipnotizado, pese a tener los ojos abiertos y que parezca que está totalmente consciente, de hecho, irá saliendo de modo gradual del estado no ordinario de conciencia. Y hasta tal punto es eso cierto, que las órdenes poshipnóticas son fácilmente aplicables, sobre todo después de la media hora siguiente del «despertar».

TÉCNICAS
Y EJERCICIOS
SUPERIORES

Decid a la mente, muchas veces,
aquello que deseáis que esta haga,
impulsadla, estimuladla, dadle órdenes,
y ella obedecerá.
WILLIAM W. ATKINSON

Recurrir a estos procedimientos pone en evidencia el grado de «desestabilización» del control por parte del Otro generalizado (superyó), desarrollando condiciones que llamamos «inversivas» porque hacen que el sujeto adquiera sugestiones que invierten los procesos normales de la percepción psicológica. De modo que un objeto ligero se vuelve muy pesado, mientras que otro, a temperatura ambiente, se vuelve ardiente, etc. No hay duda de que dichas aceptaciones nos refuerzan el hecho de que el sujeto se está afianzando cada vez más en las sugestiones impartidas y que ha alcanzado un estado hipnótico que podemos denominar «medio-profundo». De este modo podemos asignar a los «test inversivos» la tarea de consolidar el estado hipnótico.

Prueba del objeto pesado

Hay que elegir un objeto, por ejemplo un libro, a ser posible grande, y apoyarlo sobre una mesa junto al sujeto. Ordenadle a este sugestiones como (manteniendo el bloqueo de las piernas): «Tenga siempre las piernas rígidas y preste atención a lo que le digo. En breve, cuando yo se lo diga, abrirá los ojos y a su derecha (o izquierda) verá un libro apoyado (u otro objeto). Intentará levantarlo pero no lo conseguirá, porque el libro es muy pesado, tan pesado como si estuviese pegado a la mesa, por lo que no conseguirá levantarlo..., lo intentará, pero no lo conseguirá, porque el libro es muy, muy pesado...». Después de que el sujeto haya superado la prueba (no conseguir levantar el libro), si se desean terminar los experimentos, es preciso anular el bloqueo de las piernas aplicado con anterioridad: «Ahora basta, respire tranquilamente y, a partir de este momento, contaré hasta 7 y los músculos de sus piernas se relajarán cada vez más».

Objeto cerrado (o bastón cerrado en la mano)

Mientras continúa el bloqueo de las piernas, se coloca un bastón en la mano del sujeto (u otro objeto) y se le dice: «Ahora agarre con su mano este bastón, agárrelo fuertemente, yo contaré hasta 10, y cuando llegue a 10, por muchos esfuerzos que haga no conseguirá abrir la mano, y el bastón permanecerá sujeto a ella... 1... 2..., su mano permanecerá perfectamente cerrada... 3... 4..., su mano agarrará cada vez más fuertemente el bastón... 5... 6..., el bastón permanecerá en su mano... 7... 8..., su mano seguirá agarrando el bastón y sólo lo dejará cuando yo se lo diga... 9..., ¡10! Cuantos más esfuerzos haga por liberarse del bastón, más cerrada permanecerá su mano..., inténtelo pero no lo logrará, porque su mano estrechará con fuerza el bastón...».

Barrera infranqueable (o bastón en el suelo)

Mientras el sujeto continúa manteniendo el bloqueo de las piernas, se coge un bastón y se coloca en el suelo, a poca distancia del sujeto, aproximadamente a dos metros. El sujeto mantiene los ojos cerrados, por lo que no puede ver lo que está pasando. Se le imparten entonces sugestiones de este tipo: «Ahora contaré hasta 10, y cuando llegue a 10 podrá levantarse de la silla, abrir los ojos y encaminarse tranquilamente hacia mí, pero no podrá superar el bastón colocado en el suelo... 1... 2..., el bastón colocado en el suelo marcará una barrera infranqueable... 3... 4...; al llegar a 10 podrá levantarse pero no podrá superar el bastón... 5... 6..., el bastón indicará una línea de bloqueo... 7... 8...; cuanto más intente sobrepasarlo, más imposible le resultará... 9... ¡10! Ahora puede levantarse y venir hacia mí, pero no puede superar el bastón, intente venir hacia mí, pero no puede superar el bastón».

El método de la barrera infranqueable, con el bastón en el suelo, puede finalizar deshipnotizando al sujeto, o bien se puede proseguir con sugestiones como: «No lo vuelva a intentar, cierre los ojos y escuche bien lo que voy a decirle, en breve voy a contar hasta 5, y cuando llegue a 5 usted abrirá los ojos y pasará por encima del bastón que hay colocado en el suelo, pudiendo tranquilamente superarlo... (seguir contando)». Si se desea proseguir la sesión con otras pruebas, se invitará al sujeto a cerrar los ojos y se le ordenará que se siente, indicándole con las manos que retroceda (siempre con los ojos cerrados) hasta la butaca, que sólo estará a unos pocos metros de distancia.

AUTOHIPNOSIS: BARRERA INFRANQUEABLE

Este método inductivo no se utiliza en la autohipnosis.

Objeto ardiendo

El siguiente método está inspirado en la técnica de la moneda que cae, ideada por Hartland, en la cual se ha basado la sugestión de la sensación del calor. Hay que procurarle al sujeto un bloqueo, como el agarrotamiento de la pierna, y luego ordenarle que abra los ojos y que fije la mirada en un punto determinado. A continuación debemos ordenarle que levante la mano derecha con la palma en alto y colocarle encima una moneda; o bien podemos ordenarle que abra los ojos después de haberle impartido ya las primeras sugestiones: «En breve la moneda se calentará; empieza a calentarse, se vuelve tibia, cada vez se calienta más, cada vez más, cada vez más. Ahora está caliente, muy caliente, ardiendo, ahora quema, cuidado, agite su mano, no puede mantenerla ya en su mano, quema, quema, déjela caer...». Al impartir las sugestiones finales es preciso incrementar el tono de voz poniendo un cierto énfasis, una carga emotiva en las palabras. Si el sujeto deja caer de golpe y de forma brusca la moneda, es una buena señal, mientras que si la hace deslizar significa que nos hallamos ante un sujeto poco sugestionable; si, por el contrario, la lanza por los aires, significa que el test ha sido superado con éxito.

Unión de los dedos

Se invita al sujeto a que fije la atención en su mano derecha (para los zurdos la izquierda), concretamente en sus dedos, el pulgar y el índice. Este método, descrito por Adler y Secunda, fue creado para incitar no tanto el «sueño hipnótico» como un agradable estado de relajación.

En nuestro caso, este se utiliza como método inductivo para profundizar en el estado hipnótico. Se imparten sugestiones como: «El pulgar y el índice de su mano derecha tienden a acercarse cada vez más, se están aproximando cada vez más, lentamente sus dedos se mueven y se acercan; cuando las yemas del pulgar y del índice se toquen, usted alcanzará un estado de relajación muy profundo, realmente profundo, como si se durmiera agradablemente. Muy bien..., sus dedos se mueven y se acercan cada vez más y su relajación es cada vez más profunda (hay que continuar con las sugestiones hasta que ambos dedos se toquen). Bien, ahora el pulgar y el índice se tocan y usted ha alcanzado un estado de relajación muy profundo... (se debe repetir 4 o 5 veces)».

Durante la prueba se podrán percibir estas sensaciones:

- hormigueo en las yemas de los dedos;
- dificultad inicial al mover los dedos;
- respiración lenta y regular;
- sensación de completo abandono;
- mejor percepción epidérmica;
- profunda calma y completa distensión

AUTOHIPNOSIS: LA UNIÓN DE LOS DEDOS

Hay que aplicarse a uno mismo el test de la unión de los dedos exactamente tal como se indica para la heterohipnosis.

Levitación de la extremidad

Este método fue creado por Erickson en 1923 y descrito en 1948 por Wolberg. Junto a la prueba de la unión de los dedos, fue desarrollado para alcanzar la relajación muscular y la calma interior; luego se incorporó a los procesos de profundización y es considerado, en la hipnosis clásica, como uno de los mejores métodos para profundizar en el estado hipnótico y conducir al sujeto hacia las ilusiones o alucinaciones sensoriales. Ha llegado el momento en que el sujeto debe depositar una mayor confianza en el hipnotizador. Para conseguirlo, este último recurre a un método claramente positivo. El sujeto deberá, de

AUTOHIPNOSIS: *MANO EN LA FRENTE*

También en la autohipnosis esta prueba es importante por motivos ya descritos. Para llevar a cabo la levitación de la mano se procede exactamente como para la hipnosis realizada desde el exterior.

hecho, sentir su brazo ligero hasta el punto de que este se levantará en el aire. Naturalmente, para el hipnotizador resulta más fácil procurar que el sujeto acepte el brazo pesado y rígido que la anulación de una ley física como es la fuerza de la gravedad. Para lograrlo, el sujeto deberá recurrir a su inconsciente, donde los opuestos son semejantes (si un objeto cae hacia abajo, puede subir también hacia arriba) y todo se desarrollara de la mejor manera posible.

La desestabilización de la mente racional es notable, por lo que es preciso que su sentido crítico se desvanezca. Por lo tanto, cuando el brazo, al liberarse en el aire, alcance su meta (la frente del sujeto), el hipnotizador, en ese preciso instante, aprovechará la milagrosa ocasión —y gracias a esta «apertura»— para aplicar su programa comenzando por hablar de *sueño*, palabra hasta ahora impronunciable. Si el resultado es positivo, el sujeto habrá reducido los umbrales de atención hasta anular casi por completo el control y desarrollando una confianza plena con respecto al hipnotizador.

Esta profundización se efectuará sólo después de la prueba de la unión de los dedos, y si se desea, puede sustituirse. Con esta prueba se profundiza aún más en el estado hipnótico y se alcanza un nivel en el que se pueden utilizar de forma ventajosa las potencialidades del inconsciente. La atención deberá fijarse en la mano derecha (la izquierda en el caso de los zurdos) y se proseguirá con sugestiones: «Toda la atención está ahora sobre la mano derecha que, a partir de este momento, se aligerará cada vez más..., ya en la punta de los dedos comenzará a percibir sensaciones de ligereza. Los dedos de la mano derecha son cada vez más ligeros, comienzan a levantarse, toda su mano es cada vez más ligera, desde la punta de los dedos hasta la muñeca percibe agradables sensaciones que confieren a la mano una mayor ligereza, ahora la mano se levanta, como si estuviese privada de peso, se levanta cada vez más, más... Muy bien, ahora esta agradable sensación de completa ligereza se difunde por toda la extremidad: desde la muñeca al codo y del codo al hombro; el antebrazo y el brazo se vuelven muy ligeros, inexplicablemente ligeros, como si fueran unos pequeños pesos que atados a la muñeca levantan el brazo, como si una fuerza misteriosa levantara el brazo derecho. Ahora, con tranquilidad, agradablemente, su brazo se levanta cada vez más, la mano se libera en el aire como si fuera una pluma ondeando al viento. Ahora su mano se dirige hacia la frente, tranquila y lentamente, se dirige hacia la frente. Cuando llegue a la frente usted entrará en un profundo sueño, es como si se durmiera profundamente (hay que proseguir con las sugestiones hasta que la mano llegue a tocar la frente). En este momento, su mano toca la frente y su relajación es muy profunda, como un sueño agradable, muy tranquilo, como si durmiera. Ahora la mano se aleja de la frente, y despacio vuelve a la posición inicial. Cuando llegue a tocar la butaca (u otra cosa), las agradables sensaciones de calma, tranquilidad y soñolencia serán aún más profundas, ahora usted sólo quiere dormir». Un perfeccionamiento del método consiste en que el hipnotizador apoye su mano sobre la del sujeto, el cual deberá levantarse, ejerciendo una cierta presión, cuando se le impartan las sugestiones de ligereza, al mismo tiempo que irá disminuyendo la presión hasta anularla. El sujeto percibirá una sensación de ligereza que, de hecho, es debida a la anulación de la presión ejercida, y dicha sensación es la que facilita la elevación de la mano. Durante este método de profundización, las sensaciones percibidas son subjetivas, por lo tanto, lo importante es que siempre sean positivas y agradables. A determinados sujetos, las primeras sensaciones de ligereza en la mano les llegarán lentamente, después de un tiempo; sin embargo, otros las advertirán enseguida, a partir ya de las primeras sugestiones que se les imparta. Para algunos sujetos, el antebrazo subirá muy lentamente, hasta el punto de que esta prueba puede durar aproximadamente diez minutos; por el contrario, para otros, el tiempo será más breve. No tiene demasiada importancia la rapidez del ejercicio, igual que su logro, aunque, por norma general, con aquellos sujetos que responden a las sugestiones con movimientos lentos se produce una mejor profundización hipnótica. En la mayoría de los sujetos, cuando el brazo baja, desciende con bastante rapidez, pero en este caso también la dinámica es individual. Una vez superada esa profundización se puede pasar a otras técnicas inductivas para alcanzar un profundo estado hipnótico.

Durante la prueba son perceptibles las siguientes sensaciones:

- absoluta tranquilidad corporal;
- entorpecimiento;
- ausencia de la percepción de algunas partes del cuerpo (en particular las extremidades inferiores);
- paso de la soñolencia a un estado parecido al sueño fisiológico;

- percepciones sensoriales fuera de lo común;
- estado de completo abandono físico;
- expansión de la mente.

Procedimientos sinérgicos

Son los métodos de intervención con los cuales se quiere profundizar en el estado hipnótico. Su utilización depende de las diversas etapas que haya alcanzado el sujeto durante la hipnosis y, en todo caso, estos actúan como potenciales métodos de convencimiento.

Confirmaciones activas

Se le ordena al sujeto que ejecute una señal preestablecida al alcanzar un estado determinado. Por ejemplo, se le pedirá que levante la mano derecha cuando sienta la sensación de haber alcanzado un profundo estado de relajación. De este modo el hipnotizador puede proseguir en la conducción sin incurrir en el riesgo de un fracaso anticipado. La utilización de las confirmaciones activas es adecuada en la hipnosis llamada *colaboradora*.

Gestión de las pausas

Las pausas son muy útiles para hacer comprender al sujeto que está pasando a una fase siguiente en la conducción de la hipnosis. Estas provocan una mayor atención y sirven para cargar emocionalmente al sujeto. Por ejemplo, en la frase: «Su sueño se vuelve cada vez más profundo», el hipnotizador, antes de pronunciar la palabra *profundo*, realiza una pausa de al menos dos segundos, de modo que el término *profundo* tendrá una mayor incidencia porque es esperado por el sujeto.

Paradojas manipuladoras

Sirven para potenciar el sentido de superioridad del hipnotizador con respecto al sujeto y para disminuir el umbral de verificación de este último... Por ejemplo, se le dirá: «Mantenga los ojos abiertos e inmóviles, y de este modo los ojos se cerrarán».

PALABRAS CLAVE
Y ÓRDENES
POSHIPNÓTICAS

Las sugestiones que se graban en nuestra mente
son aquellas que formarán nuestro carácter,
dirigirán nuestras acciones
y nuestro modo de pensar.

WILLIAM ATKINSON

El término *poshipnótico* establece que un determinado acontecimiento se realizará después del presente estado hipnótico, hecho que,
en la práctica, no es cierto, ya que el comportamiento hipnótico que
se establece durante la ejecución de la orden conduce automáticamente al sujeto al estado hipnótico.

Por *orden poshipnótica* se entiende el suministro de una palabra
clave, o símbolo conmutador que, inserto en un profundo estado hipnótico, ejecutará sus funciones en un tiempo sucesivo al de la deshipnotización.

Por ejemplo, se puede programar a un sujeto hipnotizado para
que en una fecha y en una hora establecidas cumpla una determinada
acción. Con la aplicación de las órdenes poshipnóticas hemos llegado
a una etapa importante de la hipnosis, pudiendo sacar el máximo provecho del potencial del inconsciente y obteniendo con ello grandes
ventajas. Por lo tanto, la orden poshipnótica constituye un mandato
que, aplicado durante una sesión hipnótica, será ejecutado en un
tiempo futuro.

Para recurrir a la utilización de la orden poshipnótica es preciso
que el sujeto haya superado las pruebas de los test de profundización
del estado hipnótico o, al menos, el del «brazo en la frente». En cualquier caso, es conveniente profundizar en el estado hipnótico, mejor
aún si al sujeto se le han presentado visualizaciones mentales, pues es
en el interior de estas donde se pueden aplicar dichas órdenes. En esa
circunstancia, el sujeto está obligado a aceptar una sugestión que será

registrada por el inconsciente como un deber imperioso e indiscutible. La insistencia del hipnotizador y los adecuados postulados hipnóticos imponen la ejecución de la orden impartida que, dictada por el inconsciente, se manifestará en la conciencia no ordinaria en el momento de la actuación. Esta obligación restitutoria se instaura gracias a las modalidades con las que la orden se imparte, y es precisamente durante dicho proceso hipnótico cuando el hipnotizador asume el rol de «comandante», es decir, de aquel que impone la propia voluntad y que es aceptada con satisfacción por parte del sujeto. El fisiólogo ruso Pavlov definió la orden poshipnótica como la acción psíquica de los reflejos condicionantes; y así como ante la vista de un plato apetitoso las glándulas salivares aumentan su secreción, en el símbolo conmutador, una palabra, un acto, se convierten en el resorte que desencadena una acción programada en el tiempo.

Un simple ejemplo podría ser el despertador que programamos la noche antes de acostarnos y que sonará a la hora prefijada para despertarnos; pues bien, con la orden poshipnótica sucede lo mismo. Durante una sesión hipnótica nosotros insertamos un símbolo, que corresponde a la hora del despertador, y cuando este se manifieste desencadenará un comportamiento registrado por el inconsciente. La utilización de los poshipnóticos es múltiple:

- el empleo de la orden en cualquier lugar, con acción inmediata;
- inserción de la orden en el estado de vigilia, sin necesidad de todos los preliminares conductivos;
- el recurso de palabras clave, encargadas de activar las diversas órdenes poshipnóticas según las necesidades personales.

Las palabras clave

Por *palabra clave*, o *símbolo conmutador*, se entiende aquel tipo de sugestión que es aplicada con el fin de que la orden poshipnótica se realice. Se le denomina palabra clave (aunque como veremos no siempre es una palabra), porque, como una llave, se convierte en el medio para conseguir un determinado fin, del mismo modo que para cada llave existe una determinada cerradura.

Cuando se utiliza el término *símbolo conmutador*, se quiere indicar la propiedad de una cierta «señal» para ejecutar un cambio, como la apertura de una puerta, conmutando una señal en una acción, es decir, la ejecución de la orden poshipnótica. El símbolo conmutador, o palabra clave, no debe ser exclusivamente un fonema (una palabra), sino que puede ser cualquier signo comunicativo como un sonido, un gesto, un tocamiento, una postura, una imagen, una acción, etc.

Intentemos buscar la palabra clave y la orden poshipnótica en el experimento citado por el profesor Kroenferld: «Le digo a un sujeto hipnotizado: Ahora lo despertaré, pero en unos minutos usted deberá hacer una cosa divertida. En siete minutos exactos, usted verterá agua de una garrafa y se la beberá, declarándose satisfecho con ese espléndido vino». En dicha orden el símbolo conmutador, o palabra clave, está representado por el tiempo prefijado «siete minutos exactos», mientras que la orden poshipnótica radica en el hecho de verter el agua y decir que es un espléndido vino.

Las órdenes poshipnóticas

Las órdenes poshipnóticas pueden ser de dos tipos: con amnesia y sin amnesia. Aquellas con amnesia pueden subdividirse en órdenes con amnesia provocada y en órdenes con amnesia generada. En las órdenes poshipnóticas con amnesia, el sujeto no se acuerda de la orden que se le ha impartido, y la amnesia ha sido provocada intencionadamente, porque durante la inserción esta formaba parte del programa; así, por ejemplo, se le dirá al sujeto: «Después de que lo haya despertado, cuando pronuncie la palabra *Sol*, usted se acercará a la ventana para mirar qué tiempo hace, pero cuando se despierte no recordará nada de cuanto le haya dicho minutos antes, y cuando oiga que yo pronuncio la palabra *Sol*, se acercará... (etc.)». Sin embargo, cuando no se inserta durante la orden, incluida la orden del olvido, si el sujeto al despertarse no recuerda la orden, es que se ha desencadenado la amnesia generada. Es preciso tener en cuenta que, en este caso, pese a que el sujeto no se acuerda de la orden, si esta ha sido aceptada, se ejecutará de igual modo cuando la palabra clave sea pronunciada.

Recapitulando:

Las sugestiones utilizadas para instaurar un proceso hipnótico en el cual se realizan las órdenes poshipnóticas pueden resultar, en cuanto a su dirección se refiere, de diversos tipos: psíquicas, motoras, sensitivas, sensoriales, fisiológicas y oníricas. Es decir, estas pueden determinarse según las actividades psicológicas o fisiológicas implicadas. Además, dichas sugestiones pueden clasificarse en positivas o negativas según estas acompañen o prohíban funciones normalmente ejecutables.

Intentemos formular un programa que contenga una orden poshipnótica: «Preste mucha atención a eso que estoy a punto de decirle porque es muy importante. Cuando yo pronuncie la palabra *sombrero*, usted intentará levantar el libro que está encima de la mesa, con la intención de echarle un vistazo, pero no lo conseguirá porque estará como pegado a la mesa... (se repite al menos dos veces más). Ahora contaré hasta 10, cuando llegue a 10 se despertará, abrirá los ojos, se sentirá perfectamente bien y no se acordará de nada de cuanto le he dicho, pero cuando pronuncie la palabra *sombrero*, intentará levantar el libro, aunque no lo conseguirá...». Las órdenes poshipnóticas se preparan siempre antes de la sesión y no se improvisan, dada su particular eficacia. Es importante que las órdenes poshipnóticas no estén en contradicción con la moral del sujeto, de lo contrario no serían ejecutadas y el sujeto perdería por completo la confianza en el hipnotizador. Además, siempre deben estar motivadas.

Se dice, por ejemplo: «Intentará levantar el libro para colocarlo en otro lado», o bien «...porque quiere leerlo». De este modo, el acto de levantar el libro está motivado y, por lo tanto, es fácilmente aceptado por el inconsciente (cuando ejecutamos una acción siempre hay una motivación causal).

Otro ejemplo que contiene la motivación: «Cuando pronuncie la palabra X, usted tendrá sed y pedirá un vaso de agua, pero cuando la pruebe la notará amarga».

Analicemos los contenidos de esta orden:

- TIMER: cuando pronuncie la palabra X;
- MOTIVACIÓN: usted tendrá sed;
- ACCIÓN: pedirá un vaso de agua;
- OBJETIVO: la notará amarga.

La fase *timer* puede asumir diversas formas, pero en cualquier caso está programada como si de una «alarma mental» se tratara y conducirá a la acción.

He aquí algunos ejemplos de *timer*:

- cuando hayan transcurrido justo 10 minutos después de su despertar;
- cuando yo le toque el hombro;
- cuando yo encienda el televisor;
- cuando alguien pronuncie la palabra X;
- cuando esté a punto de salir de la habitación;
- mañana cuando se siente a comer;
- el día de su cumpleaños a las 12 horas.

Si la orden no es ejecutada, las causas pueden ser diversas:

- el sujeto se hallaba en un estado hipnótico demasiado profundo y no ha sido capaz de asimilar la orden;
- el sujeto padece problemas internos que están reñidos con la tipología de la orden;
- el sujeto no acepta, debido a su carácter, las imposiciones;
- el hipnotizador ha cometido algún error al impartir la orden.

En algunos casos, el sujeto reacciona con el llanto (más común en las mujeres) o con crisis nerviosas. Esto significa que se produce una lucha interior entre el deseo de obedecer la orden impartida y el placer de desobedecer, pero el comportamiento anómalo sustituye la ejecución del test: «Otros, sin embargo, al acercarse el momento indicado se muestran inquietos, y dan la impresión de que son personas que padecen una contradicción interna, los rasgos de la cara se alteran, giran la cabeza hacia el lugar (por ejemplo) donde está la garrafa, intentan acercarse pero luego retroceden. Finalmente, parecen haber realizado, al menos en parte, la sugestión, pero siempre vacilan. Algunos agarran la garrafa y se sientan de nuevo en su sitio; si durante la acción se les pregunta qué están haciendo, reaccionan vacilantes como personas que no saben muy bien qué es lo que hacen. Y así sucesivamente hasta que el sujeto no haya reproducido en sí mismo la sugestión» (C. Simioni, 1964).

Una investigación sobre las modalidades de respuesta ante las órdenes poshipnóticas fue la que llevó a cabo el profesor checo M. Bouchal, con ocasión del Congreso Internacional de Hipnosis, que tuvo lugar en París en abril de 1965, con respecto al estudio de los postulados de veinticuatro sujetos sometidos a las órdenes poshipnóticas, extrayendo las respuestas más frecuentes de comportamiento: «El sujeto no sabe explicar y ni siquiera intenta explicarse a sí mismo una razón de su comportamiento; el sujeto considera su comportamiento espontáneo, automático, impulsivo; el sujeto se da cuenta de que ese determinado comportamiento le fue impuesto hipnóticamente pese a no tener de ello recuerdo alguno; el sujeto racionaliza su comportamiento con razones lógicas y objetivas para justificárselo a sí mismo y a los demás; el sujeto ejecuta el comportamiento sugerido en estado de trance espontáneo, seguido de amnesia y, por lo tanto, no existe oportunidad alguna de racionalizar» (G. Crosa, 1965).

Si, por el contrario, no se producen crisis o reacciones anómalas y la orden no es ejecutada, entonces será necesario hipnotizar de nuevo al sujeto y eliminar la programación: «Preste mucha atención a lo que le voy a decir: a partir de este momento anulo la orden que le había dado antes». Por seguridad, se puede insertar en la orden una frase con fines preventivos: «Cuando salga de esta casa, la orden impartida carecerá de valor». Si, por el contrario, la orden es ejecutada con normalidad, esta se extingue y se anula automáticamente con la ejecución. Con las órdenes poshipnóticas se puede actuar sobre los cinco sentidos, alterando por lo tanto la percepción de la realidad. En algunos casos, la orden se ejecutará en un tiempo siguiente, el que indica que ha sido aceptado en la forma pero no en el tiempo. En ese caso es necesario comportarse como si no hubiese sido impartida, es decir, anulándola e hipnotizando de nuevo al sujeto.

En cualquier caso, si la orden no ha sido ejecutada es preciso repetir, con una excusa cualquiera, la señal clave. Si la orden sigue sin ejecutarse, con cualquier pretexto será necesario hipnotizar de nuevo al sujeto y desactivar la orden poshipnótica impartida.

Cuando en la sesión están presentes parientes o personas íntimas, es posible que algunas órdenes no se ejecuten debido al estado de inhibición que se produce.

Ejemplos de órdenes poshipnóticas:

- Intentará levantar el libro que está sobre la mesa, porque querrá ver cómo está encuadernado, pero no lo conseguirá porque es un libro muy pesado. Cuanto más lo intente más imposible le resultará.
- Cogerá un objeto de la mesa y lo cambiará de sitio para comprobar si entona mejor con el ambiente.
- Pedirá un vaso de agua, y al beber dirá: «¡Qué bueno es este vino!» para decir una frase graciosa.
- Pese a que hay sillas libres se sentará en el suelo para resultar gracioso.

- Le dará la mano a cualquiera de los presentes para saludarlo.
- Pedirá un caramelo porque tendrá necesidad de ello.
- Estallará en una carcajada porque se sentirá contento.
- Pedirá que quiere lavarse las manos porque se las sentirá sucias.
- Pedirá le fecha de nacimiento a algunos de los presentes.
- Estornudará porque tendrá necesidad de ello.
- Se quitará un zapato porque algo le molestará.
- Dirá: «¡Viva España!» para hacerse el gracioso.
- Apagará la luz para comprobar si aquel es el interruptor adecuado.
- 5 minutos después de que yo le haya despertado, se levantará y dará dos vueltas alrededor de la habitación (o de la mesa) en el sentido de las agujas del reloj para estirar las piernas.
- Se olvidará de su nombre porque, por un momento, se sentirá confundido.

Órdenes repetitivas

La orden poshipnótica puede insertarse de tal manera que aflore cada vez que se constate una determinada información o dato. Por ejemplo:

- cada vez que se repita la palabra X;
- cada vez que se lleve a la boca un vaso de vino;
- después de haberse fumado un cigarrillo;
- al principio de cada comida;
- cada vez que hable con los demás.

De este modo se puede comprender la importancia y la comodidad de la utilización de las órdenes poshipnóticas, por ejemplo, para vencer la timidez, para dejar de fumar, para adelgazar, en el deporte, etc. Ejemplos aplicativos de la orden poshipnótica:

- PARA POTENCIAR LA MEMORIA Y LA VOLUNTAD: «De ahora en adelante, cada vez que, durante tres veces consecutivas, repita mentalmente la palabra X, su memoria permanecerá perfectamente activa y estará lista para percibir y aprender todo aquello que se proponga estudiar. De ahora en adelante, cada vez que lea o escuche, su mente se sentirá ágil y abierta para captar todas las informaciones posibles. Su voluntad se reforzará y le resultará muy fácil ser aplicado en el estudio».

- Para vencer la timidez: «A partir de ahora, cada vez que, durante tres veces consecutivas, repita mentalmente la palabra X, se sentirá perfectamente tranquilo, seguro de sí mismo, se dirigirá a los demás con la máxima seguridad y tranquilidad».

- Para dejar de fumar: «A partir de ahora y desde el primer cigarrillo que encienda, ya no va a disfrutar del sabor del tabaco, ya no le proporcionará ninguna satisfacción; al contrario, le parecerá desagradable, hasta el punto de que lo apagará porque no conseguirá aspirarlo».

- Para adelgazar: «De ahora en adelante, cada vez que ingiera el alimento se saciará con mucha facilidad. No asumirá alimentos que le engorden y no comerá entre horas. Su cuerpo asimilará lo indispensable y, a través de la sudoración, eliminará todas las sustancias tóxicas».

- Para aumentar la fuerza física: «De ahora en adelante, cada vez que pronuncie mentalmente, durante tres veces consecutivas, la palabra X, su fuerza muscular se incrementará de inmediato. Los músculos estarán perfectamente irrigados de sangre y el tono muscular alcanzará su máximo rendimiento».

Como se habrá podido observar, en algunos casos falta la palabra que hace la función de símbolo conmutador; en esos casos las funciones son tomadas de la frase misma, que contiene las sugestiones adecuadas para ser insertadas en las acciones que hacen de palabra clave.

Cuando se inserta una palabra clave como símbolo, cuyo objetivo es desencadenar la acción, es conveniente pronunciar una vez la misma palabra al término de la acción. Así, por ejemplo, si se utiliza el símbolo conmutador para aumentar la memoria y la voluntad, después de haber terminado de estudiar o de escuchar aquello que se quiere recordar, es aconsejable reconducir la mente al estado normal receptivo, pronunciando mentalmente una sola vez la palabra que hace la función de palabra clave. En este caso, también la conclusión será insertada en las sugestiones, añadiendo al término esta frase: «Cuando repita una sola vez la palabra X, su mente volverá al estado de reposo».

El sistema conclusivo se aconseja especialmente cuando la programación dura un cierto periodo, mientras que en los demás casos no es indispensable. En el caso de tener que adelgazar o de dejar de fumar no se utiliza, porque la acción debe prolongarse en el tiempo.

Palabra clave para el sueño inmediato

Para que la aplicación sea más cómoda, una de las primeras órdenes poshipnóticas que se deben aplicar es la que permite incitar al sujeto a un estado hipnótico muy profundo con gran rapidez (sueño profundo o trance profundo, impropiamente) eliminando todos los procesos hasta el momento necesarios. Para asegurarse de que el sujeto está preparado para aceptar esta orden poshipnótica tan elevada en el ítem hipnótico, es conveniente probar con órdenes normales poshipnóticas y, si estas son ejecutadas con éxito, en la siguiente sesión se procederá a insertar la orden que, a través de un símbolo conmutador, provocará, cada vez que el hipnotizador lo desee y de un modo inmediato, el profundo estado hipnótico. Veamos, a través de un ejemplo, una orden poshipnótica adecuada para este fin: «Preste mucha atención a lo que voy a decirle, porque es muy importante. De ahora en adelante, cada que vez que yo pronuncie, durante tres veces consecutivas, la palabra X, inmediatamente usted alcanzará un sueño hipnótico profundo, aún más profundo que el actual, repito...» (hay que repetir todavía dos veces más).

Para proceder a la aplicación de la orden poshipnótica es preciso que el sujeto sea sometido a una sesión hipnótica y que en su viaje haya superado ya las diversas pruebas, desde la levitación del brazo a la visualización; sólo entonces estará en condiciones de recibir la inserción de la orden para el «sueño inmediato» (expresión inadecuada pero de uso común). Después de haber insertado la orden, se procederá a deshipnotizar al sujeto, y en la siguiente sesión, no se recurrirá aún a la orden, pero se repetirá de nuevo el mismo proceder con el fin de reforzar la inserción. En la tercera sesión, se realizará el test de bloqueo ocular, después del cual se utilizará la orden poshipnótica para el «sueño inmediato». Desde la cuarta sesión y en adelante no habrá necesidad de preliminares y se podrá aplicar la orden directamente, la cual, cada vez que sea utilizada, irá reforzándose automáticamente cada vez más.

Este procedimiento sirve para operar con un cierto margen de seguridad, pese a que, de hecho, un buen sujeto asimila la orden ya desde la primera inserción.

La orden puede ser formulada para la utilización exclusiva del hipnotizador o bien por otros hipnotizadores, por ejemplo: «De ahora en adelante cada vez que Juan, Mario o yo, pronunciemos durante tres veces seguidas la palabra X...».

Las ventajas son:

- uso de la orden en cualquier lugar;
- uso del símbolo en el estado de vigilia;
- utilización para toda la vida;
- utilización de símbolos diversos según las necesidades;

Las seguridades derivan de:

- La fuente especificada: «Cada vez que YO repita...». Por lo tanto, si es otra persona la que pronuncia la palabra, la orden no será aceptada.
- La repetición: «...durante 3 veces seguidas...». Por lo tanto, si la orden se imparte una o dos veces, no será aceptada, y lo mismo sucederá si se imparte tres veces, pero no de forma consecutiva.
- Lo insólito: la palabra no debe tener ningún significado literal, debe ser única en su género; por lo tanto, debe recurrir a un sonido analógico tipo ASCOREV, SUSUI, etc. Se puede utilizar una palabra rara o pronunciarla al revés para que no se parezca a otra palabra de uso común. Estas prevenciones permiten trabajar con total tranquilidad, por eso son utilizadas cada vez que debe insertarse una orden para el sueño inmediato.

AUTOHIPNOSIS Y ÓRDENES POSHIPNÓTICAS

La autoinserción de las órdenes poshipnóticas presenta una notable dificultad, hasta el punto de que no resulta aconsejable, entre otras cosas, porque depende de las características individuales de cada persona. Es más sencillo autoaplicarse la orden para alcanzar un estado hipnótico profundo inmediato. Durante una visualización se insertará la palabra clave, que en ese caso deberá pronunciarse mentalmente. Para que arraigue bien en el inconsciente es necesario repetir el ejercicio varias veces, aunque sin dejar pasar más de tres o cuatro días entre uno y otro. A continuación se comenzará a practicarlo. La orden para el «sueño inmediato» sólo funcionará si sois vosotros los que la pronunciáis mentalmente, hasta el punto de que os diréis: «De ahora en adelante, cada vez que yo por mi cuenta pronuncie mentalmente la palabra X, alcanzaré de inmediato un sueño hipnótico profundo».

APLACAR EL DOLOR

Dolor hay, yo diría
que un poco
por todas partes.
ALESSANDRO MANZONI

La sensibilidad al dolor puede modificarse a través de la hipnosis. A nosotros nos interesa aplacar el dolor, pero en hipnosis también es posible instaurar una hiperalgesia, es decir, percibir dolorosamente también aquellos estímulos que normalmente no provocan dolor, como por ejemplo un simple tocamiento.

La primera amputación de una pierna que se realizó con anestesia hipnótica fue realizada en Francia en 1845 por Loysel de Cherbourg. El único antecedente que se conoce fue la extirpación de un pecho realizada por Jules Cloquet, también en Francia, en el año 1829.

Son muchas las teorías que intentan explicar dichas acciones. De hecho, cuando se somete a examen clínico a un sujeto hipnotizado al que se le han impartido sugestiones analgésicas, se le detecta en la sangre un incremento de moléculas endógenas pertenecientes al grupo de los opiáceos, como las endorfinas. Eso demostraría que la analgesia hipnótica no es un factor psicológico, sino biológico.

«La investigación sobre las endorfinas comenzó a principios de la década de los años setenta con el descubrimiento inesperado de receptores de los opiatos en el cerebro. Si, según los investigadores, se puede disponer de estos receptores, es verosímil que nuestro cuerpo produzca sustancias químicas parecidas al opio o la morfina. Y es realmente eso lo que encontraron: un conjunto de compuestos bioquímicos relativamente pequeños, llamados *péptidos opioides* o *endorfinas* (abreviación de *morfinas endógenas*) que encajan a la perfección en estos receptores. En otras palabras, estos péptidos analgésicos circulan por el cerebro, por la médula espinal y por la sangre, y parecen poseer la misma acción que la morfina» (J. L. Hopson, 1989).

En la hipnosis médica se ha recurrido a la analgesia hipnótica en intervenciones de apendicitis, en partos con cesárea, en extracciones dentales, amputación de extremidades, etc. Con la hipnosis es posible intervenir modificando el umbral de tolerancia al dolor. Además, sólo con las técnicas de relajación, se consigue eliminar el componente emotivo del dolor que, poco o mucho, está siempre presente en cualquier episodio de dolor fisiológico.

Un aspecto importantísimo es el que está relacionado con la determinación de que sea realmente indispensable eliminar el dolor. El dolor es una señal muy útil y para aplacarlo tiene que haber una razón de peso. Eso es igualmente válido para la hipnosis. En la mayoría de los casos, el dolor representa un tipo de prevención y de autoterapia que el cuerpo desarrolla.

Por lo que respecta al significado del dolor, Erickson afirmó, en el Congreso Internacional de Hipnosis que tuvo lugar en París en 1965, a propósito de «La hipnosis en el control del dolor», que «poder aplacar un dolor puede significar algo realmente útil para el paciente; a veces constituye la necesidad de ser ayudados; a menudo conduce a una limitación de la actividad y de las propias obligaciones, algo que puede ser inconscientemente deseado. A veces el dolor no es una sensación indeseable que se pretende eliminar, sino que es percibido más bien como una experiencia que se valora como un beneficio. Con frecuencia se tiende a ignorar el significado psiconeurobiológico que el dolor tiene para el paciente. El dolor es algo muy complejo, compuesto de elementos experimentales e interpretativos muy distintos» (G. Grosa, 1965).

Desde luego, la hipnosis representa, siempre que sea posible, la alternativa a los fármacos analgésicos, que siempre presentan aspectos iatrogénicos (provocan daño). El hombre moderno recurre con demasiada superficialidad al fármaco, en lo que hoy en día se llama *snacktherapy* para indicar el propio suministro continuado e injustificado de los fármacos. Es cierto que la hipnosis puede sustituir, en algunos casos, la ingestión de analgésicos; por esa razón, cuando no es posible interrumpir la cadena del dolor, cuando no se puede prescindir, la hipnosis puede resultar una ayuda.

Las modalidades de intervención son principalmente dos:

1. suprimir la sensación dolorosa;
2. aumentar el umbral de la percepción conviene.

Cada modalidad depende del tipo de sugestiones que son impartidas. Para obtener un buen resultado conviene aplicar las sugestiones para la analgesia al menos después de la prueba de las «manos en la frente». Repasemos algunos ejemplos de intervención.

Sugestión directa

Es la técnica verbal característica de la hipnosis que utiliza la sugestión verbal, cuya tarea es la de que el inconsciente acepte los valores introducidos. Con esta técnica se puede suprimir la sensación dolorosa o bien aumentar los límites de la percepción; en este segundo caso la resistencia al dolor aumenta y, por lo tanto, la sensación es menos acusada.

Hay que señalar que, en las sugestiones directas, se debe mencionar lo menos posible la palabra *dolor*, aunque la frase esté construida en positivo, por ejemplo: «Su dolor se desvanece», porque la propia palabra *(dolor)* representa para el inconsciente un modelo negativo que produce una sensación desagradable. Esta palabra, como todas aquellas que pueden remitir al dolor, debe ser utilizada con mucho cuidado, y mejor aún si es olvidada. Mientras que, por el contrario, las palabras que remiten a sensaciones positivas son muy indicadas, por ejemplo: «Se sentirá cada vez mejor..., su brazo está perfectamente en forma... (etc.)».

Amnesia causal

Las sugestiones verbales son utilizadas para hacer olvidar el dolor, y muy especialmente la causa que lo ha generado.

Desorientación anatómica

El dolor no es eliminado sino desplazado hacia otra parte del cuerpo, en la cual, por motivos de ubicación, ya no puede molestar. El método de desplazar la sensación hacia otra dirección se denomina *misdirection*, y a través de él se olvida aquello que acosa, incluido el dolor, que por lo menos se atenúa. Se trata de una técnica que hay que utilizar sólo si no se obtienen buenos resultados al emplear los demás métodos.

Por ejemplo, un dolor de cabeza es desplazado hacia un hombro o hacia la mano.

Desorientación temporal

Al sujeto se le aplica una sugestión que modifica la percepción del tiempo. De modo que, por ejemplo, si hoy el sujeto padece dolor de cabeza y ayer estaba bien, se desplazará al sujeto hacia atrás un día, haciéndole creer que se encuentra en el día anterior.

Disminución gradual

Se inserta un programa que se desarrollará en un tiempo próximo o futuro. Ejemplo: «La sensación desagradable se desvanece cada vez más, y a medida que pasen las horas se sentirá cada vez mejor...» (este segundo caso se utiliza para dolores crónicos).

Con un plazo preestablecido

Esta técnica puede decirse que es de obligada utilización cuando el dolor es un síntoma de un trastorno que debe ser curado en el menor tiempo posible.

Por ejemplo, si un sujeto padece un dolor de muelas, se puede actuar con la analgesia hipnótica, pero sólo durante un tiempo limitado, a fin de que el sujeto acuda al dentista para curarse la dolencia. En estos casos, se incorpora a la sugestión la duración de la analgesia: «Durante dos horas no le dolerán sus muelas; pasado ese tiempo todo volverá a la misma situación fisiológica». Si se desea, se puede insertar también en la programación el consejo de tener que acudir al dentista: «...y acudirá lo más rápidamente posible a su dentista».

EJEMPLOS DE CONDUCCIÓN EN HETEROHIPNOSIS

> *Para conocer es necesario,*
> *antes que cualquier otra cosa,*
> *querer conocer.*
> VALERIO SANFO

Las sugestiones que se muestran en este capítulo representan sólo una pauta, un modelo en cuya base es preciso formular las frases adecuadas a cada sujeto y caso específico, de modo que estos correspondan a los objetivos perseguidos.

Se ha querido recurrir al empleo del «tú» y a un lenguaje sencillo e inmediato. En la formulación de los mensajes es necesario tener en cuenta estos aspectos:

- Las acciones sugeridas deben ser propuestas en positivo.
- La descripción debe ser precisa, sin ambigüedad alguna.
- El lenguaje debe ser sencillo, rico en adjetivos y palabras que evoquen emociones y sentimientos.
- Se debe motivar cada cambio previendo que se realizará.

Sugestiones para dejar de fumar

El ámbito de acción es la toma de conciencia de los daños que el tabaco provoca, el asumir el sentido de libertad de la propia elección, la capacidad de proyectarse en un futuro sano y longevo. Las sugestiones podrán entonces articularse del siguiente modo:

- Ahora te sientas bajo un árbol, no tienes problemas de trabajo ni de tiempo, estás tranquilo y en calma. Ahora mira a tu alrededor, sobre la hierba hay un cigarrillo. Se te debe de haber caído mientras te sentabas. Cógelo y observa atentamente cómo es: un pequeño cilindro de papel en cuyo interior hay hierba seca. Pero ten cuidado: se trata de tabaco, no es una hierba cualquiera; el tabaco es una potente sustancia tóxica que poco a poco va dañando todo su físico.

• Piensa en el día, ya lejano, en que fumaste por primera vez. Recuerda el sabor que tenía el humo de tu primer cigarrillo. Era un sabor fuerte, amargo, punzante, después de las primeras caladas la cabeza te daba vueltas y no sentías ningunas ganas de continuar. Y sin embargo, lo hiciste, sólo porque lo hacían los demás. Luego continuaste fumando porque el cigarrillo ya se había convertido para ti en una costumbre (que poco a poco te fue creando dependencia).

• Ahora piensa en los efectos nocivos que el tabaco provoca: disminuye la fuerza muscular y aumenta el ritmo cardiaco, por eso después de haber realizado una carrera o de haber subido unas escaleras te falta el aliento y acusas el cansancio. Te impide saborear el verdadero sabor de los alimentos que comes, intoxica el hígado dejándote mal sabor de boca. Si pudieras observar en transparencia los pulmones de un fumador, los verías grisáceos y llenos de alquitrán.

• Por eso, a partir de ahora, cada vez que sientas el deseo de fumarte un cigarrillo, pensarás en sus efectos nocivos y en el sabor de tu primer cigarrillo, y comprenderás que el humo no te aporta nada bueno, y que fumas sólo porque eres un esclavo. Cada vez que venzas la tentación del cigarrillo, facilitas el NO de la próxima vez, y poco a poco te sentirás cada vez mejor.

• Cuando veas a la gente que está fumando, pensarás que ellos son esclavos de este vicio y que tú eres superior porque lo estás dejando. Piensa que cuando alguien te ofrezca un cigarrillo tú podrás decirle: «No, gracias, antes fumaba pero ahora lo he dejado». Despertarás admiración a tu alrededor, te sentirás fuerte por haber vencido una batalla y te sentirás satisfecho de haber tomado esta decisión.

• Ahora presta mucha atención a mis palabras. De ahora en adelante, a partir del próximo cigarrillo que enciendas, notarás un sabor amargo, picante, insatisfactorio. Eso te ayudará a limitar tus cigarrillos y, poco a poco, a dejar de fumar completamente. A partir de mañana no fumarás más de X cigarrillos, y por la noche te sentirás muy satisfecho. Ahora contaré... (etc.), (disminuir de 2 a 5 cigarrillos cada semana).

Si hay que recurrir a la aplicación de la hipnosis, al tratarse de un ejercicio con sugestiones muy largas y complejas, es conveniente primero grabar en una cinta todo lo que se le debe decir al sujeto, hablando con un tono de voz suave y aplacado, y luego realizar el ejercicio escuchando la grabación.

Sugestiones para adelgazar

Su radio de acción es el de motivar la pérdida de peso, la capacidad de reducir el peso corporal y de desarrollar unos hábitos sanos alimentarios, así como de un saludable estilo de vida:

• Ahora te tumbas debajo de un árbol, no tienes problemas de horario ni tampoco de trabajo, te relajas por completo, cierras los ojos y piensas en ti, en cómo estás ahora físicamente y en cómo te gustaría estar. ¿Te gustaría adelgazar, verdad? Pues bien, esta decisión sólo depende de ti, basta con que tú lo quieras realmente y todos los kilos que te sobran desaparecerán en poco tiempo. Piensa en tu cuerpo delgado en bañador, o vestido con ropa ajustada. Piensa en cómo podrías moverte con agilidad y gracia corriendo por un prado. Todo eso es realizable, basta con que tú lo quieras.

• De ahora en adelante, serás más coherente en la forma de alimentarte, ya no volverás a comer de manera excesiva a causa de los nervios, ni menos aún a pegarte un atracón. Te levantarás siempre de la mesa con un poco de apetito y verás cómo todos los trastornos y achaques desaparecerán. Comer mucho no sienta bien, al contrario, predispone al organismo a numerosas enfermedades, y tú lo sabes.

• Puedes perder con facilidad los kilos de más, basta con que tú lo decidas. Piensa en la salud y en las ventajas de tener un cuerpo delgado, y elige libremente. De ahora en adelante no comerás fuera del horario de comidas porque no sentirás la necesidad de ello, y si los demás te fuerzan, piensa que todo tu plan se echará a perder. Cada vez que estés a punto de caer en la tentación, piensa qué bonito es estar delgado, ser enérgico, vivaz, dinámico, y sabrás vencer el momento difícil, porque sabes que cada dulce que rechaces, cada pastelito que deseches, te impulsarán a alcanzar con mayor rapidez el objetivo deseado: perder el peso que te sobra.

• De ahora en adelante, siempre con tranquilidad (escogiendo bien los alimentos), masticarás muy bien cada bocado y beberás sólo si tienes verdadera necesidad y no porque algunas bebidas tienen un sabor agradable. Y no será sólo tu fuerza de voluntad la que te permitirá adelgazar, sino también tu organismo, porque a partir de mañana mismo asimilarás sólo la cantidad necesaria que tu cuerpo necesita.

Sugestiones para la memoria

Su ámbito de acción son las motivaciones para reforzar la memoria, la capacidad de aumentar la concentración, la disposición para potenciar la voluntad, la elección de modificar los hábitos de estudio.
Estas pueden ser las sugestiones:

• Aprender es un placer natural e instintivo en el hombre. Cada vez aprendes algo nuevo, es como si una nueva ventana se hubiese abierto en el universo; el conocimiento dilata la conciencia, llevándola a una nueva dimensión. Tu mente es un enorme depósito en el que metes todo aquello que te resulta útil y te interesa y del cual puedes extraer las nociones acumuladas.

• Las personas que tienen una gran memoria y se acuerdan de todo también están dotadas de una buena inteligencia, y si han llegado a tanto es sólo porque han aprendido a canalizar bien la mente. Tú también puedes ser como ellos, basta con que lo quieras.

• De ahora en adelante, cada vez que leas o escuches lo que quieras recordar, mantendrás la mente ágil y abierta, dispuesta a captar la máxima información. De este modo te resultará fácil aprender, además potenciarás tu voluntad y atención. Cada información, sea leída o escuchada, será fácilmente almacenada, y a medida que vayas aprendiendo y aplicándote seriamente, te resultará más fácil aprender, porque la mente estará entrenada y tus resultados continuarán mejorando cada día.

• Todo lo que te interesa será custodiado, de ahora en adelante, en tu mente porque tú así lo has decidido. Y si eso que lees o escuchas te interesa o tienes necesidad de recordarlo por motivos de estudio, tu mente todavía estará más atenta; lo percibirás todo y todo lo recordarás, porque tu mente estará realmente receptiva. Te acostumbrarás a relacionar lo que leas y escuches con las imágenes y a asociar palabras difíciles con otras más sencillas que signifiquen lo mismo, de este modo aún te resultará más fácil recordar.

Regresión de memoria

La hipnosis regresiva consiste en aplicar una simple técnica que se basa en sugerencias dirigidas y en estrategias oportunas que permiten revivir el pasado como si se volviera a vivir de nuevo. En la revivificación, es como si el sujeto fuese reconducido a través del tiempo transcurrido y viviese de nuevo los acontecimientos pasados como si fueran realmente contemporáneos.

Subrayo la diferencia entre regresión y revivificación hipnótica. En la regresión, el sujeto, pese a ver de nuevo los acontecimientos transcurridos, es consciente de que se halla en el presente, mientras que en la revivificación hipnótica este se comporta y actúa como si estuviera viviendo en el pasado; obviamente es en este segundo caso en el que se entiende la verdadera revivificación de la vida transcurrida, hasta el punto de que en ocasiones el sujeto hablaba la lengua extranjera que habló de niño y que luego, al crecer, había olvidado.

Erich Fromm (1970) expuso al respecto el caso de un hombre de 26 años que, durante la regresión, comenzó a hablar japonés, lengua que había hablado hasta los cuatro años de edad.

En la regresión, no hay riesgos, porque es revivida sólo aquella vivencia que requiere una toma de conciencia. Las informaciones que surgen del estado hipnótico regresivo permiten realizar una exploración de la estructura y de los componentes que el Yo poseía en otras vivencias anteriores.

En la sesión regresiva, el sujeto es guiado hacia un estado de calma y tranquilidad para, a continuación, darle la orden para adentrarse en el estado hipnótico profundo inmediato, llamado comúnmente «palabra clave para el sueño inmediato». Por norma general, para acostumbrar al sujeto a adentrarse en las vivencias de su propio pasado, se le sugieren breves visualizaciones mentales, como por ejemplo, la de un ascensor que baja o la de una calle que en un cierto momento gira a la izquierda; ambas visiones son símbolos evidentes de recuperación de lo que ya ha sucedido. O bien, el hipnotizador actúa contra reloj, por ejemplo de 10 a 0, intercalando proposiciones significativas, como por ejemplo: «Tu mente se acostumbra a retroceder en el tiempo». A continuación se le sugiere al sujeto que se encuentra en un momento que hace ya algunos días que ha pasado, por ejemplo: «Se encuentra en el domingo pasado, ¿dónde está y qué está haciendo?». Si el sujeto responde coherentemente, se le puede hacer retroceder a un periodo de tiempo más lejano, o bien sugerirle directamente que se encuentra en el periodo interesado, es decir, en aquel que se le planteará de nuevo la elección difícil.

Además de proponerle el periodo en el cual se ha realizado la elección difícil, el hipnotizador debe intervenir para implicar la psique del sujeto en aquellos determinados acontecimientos que con frecuencia él intenta eludir. La tarea del hipnotizador, en esta fase central, resulta básica: él debe captar el momento, la frase, que deja entrever el verdadero dilema y, si se da el caso, debe proceder con tono imperativo para abrir una brecha en la resistencia, aún presente, del sujeto.

AUTOHIPNOSIS Y REGRESIÓN DE MEMORIA

La regresión de memoria se puede obtener recurriendo a la práctica de la autohipnosis, pese a que los resultados no estén asegurados, precisamente por la dificultad que encarna el doble rol, hipnotizador e hipnotizado, que el individuo debe interpretar.

Proponemos un ejercicio que puede realizarse en la autohipnosis para intentar establecer el proceso regresivo.

Después de haber efectuado el ejercicio preparatorio de relajación muscular, llenáis todo vuestro espacio visivo con un panel completamente negro o una pizarra negra.

No penséis en nada más que en ese fondo negro.

Ahora haced aparecer mentalmente en la pizarra el número 100, bien grande y claro, de color blanco resplandeciente.

Ahora el número 100 desaparece y deja el lugar al número 99. También este número desaparece y surge el 98, luego el 97, 96, 95 y así sucesivamente.

Los números deben sucederse en la pizarra de una manera lenta y regular. No es indispensable llegar al número 0.

De vez en cuando repetid mentalmente estas sugestiones, intercalando cada 4-5 números una frase distinta:

• después de cada número siento agradables sensaciones de soñolencia;
• después de cada número, mi mente se está acostumbrando a retroceder en el tiempo;
• mi mente está cada vez más proyectada hacia el pasado;
• están a punto de aflorar en mi mente sensaciones del tiempo pasado;
• es fácil y simple revivir el pasado, porque mi mente está retrocediendo cada vez más en el tiempo.

Pueden utilizarse también otras frases parecidas a estas. Notaréis una sensación de cansancio y fatiga, deberéis dejar de contar y quedaros en una actitud pasiva a la espera de que imágenes mentales afloren en vuestra mente.

LA PRÁCTICA
DE LA AUTOHIPNOSIS

EL MÉTODO
DEL DOCTOR COUÉ

> *No se trata de querer la curación,*
> *¡sino de imaginarla!*
> EMILE COUÉ

El farmacólogo y psicoterapeuta francés Emile Coué (1857-1926) conoció, en 1885, a los maestros de la Escuela de Nancy al seguir los postulados de Liébeault y Bernheim a propósito del fenómeno de la sugestión. Además de trabajar en la hipnosis, Coué tuvo una amplia visión de los procesos mentales del hombre, incluso sus propuestas aún hoy son de una gran relevancia en el ámbito de la psicología. Coué se basó en la importancia de las relaciones sociales y del condicionamiento que continuamente preconstituye nuestra mente, sin que pueda producirse una consciente valoración. La vida del hombre está determinada por importantes condicionamientos, y con este propósito, Coué escribió: «Y por eso nosotros, muy orgullosos de nuestra voluntad, que creemos cumplir muy libremente nuestras acciones, no somos, en realidad, más que marionetas de la que nuestra imaginación tiene todos los hilos» (1909).

Los fundamentos teóricos

La tesis crucial sobre la que se apoya el pensamiento de Coué es la determinante convicción de que la sugestión hipnótica no actúa sobre la voluntad sino sobre la imaginación. Ya Paracelso había comprendido la importancia de la imaginación cuando escribió: «Desprendeos de la fuerza de la imaginación y no conseguiréis nada».

El poder de la mente se debe a la facultad de representación mental. No es la percepción sensible la que actúa en los procesos mentales, sino la representación psíquica. Es más, a menudo, entre voluntad e imaginación surgen contrastes, pero sólo actuando mediante sugestiones sobre la imaginación del sujeto es posible desarrollar los procesos hipnóticos.

Para comprender mejor el concepto de la importancia de la imaginación sobre la voluntad, veamos los siguientes aspectos:

• cuando la voluntad y la imaginación están en conflicto, vence siempre la imaginación, sin ninguna excepción al respecto;
• en el contraste entre voluntad e imaginación, la fuerza de esta última está en razón directa al cuadrado de la voluntad;
• cuando la voluntad y la imaginación están de acuerdo, una no se añade a la otra, sino que se multiplica con ella;
• la imaginación puede educarse.

Debe producirse la autosugestión: la tarea de la sugestión es la de actuar en el estado consciente del individuo y transformarse en «sugestión propia» a través de la imaginación; en ese sentido, Coué estableció una correspondencia entre la imaginación y el inconsciente: «Es a él al que nosotros llamamos imaginación y que, contrariamente a lo que está admitido, nos hace actuar siempre, y sobre todo, contra nuestra voluntad, cuando hay antagonismo entre estas dos fuerzas» (E. Coué, 1924).

La tarea del hipnotizador es la de obnubilar la voluntad del sujeto, o bien de reclamarla, obligándola a actuar en ventaja de la imaginación. La imaginación se convierte en el medio electivo para poder comunicar con el preconsciente.

De Coué debemos recordar las dos leyes siguientes:

1. LEY DEL ESFUERZO CONVERTIDO: «Cuando una idea se ha adueñado de nuestra mente hasta el punto de irradiar una sugestión, todos los esfuerzos conscientes realizados para resistir a ella no hacen más que reforzarla». (E. Coué, 1924).

2. LA LEY DE LA FINALIDAD INCONSCIENTE: «En cada sugestión, después de que se haya pensado qué se quiere obtener, el inconsciente se encarga de encontrar por sí mismo los medios para realizarlo» (ley formulada por el profesor Baoudin, uno de los discípulos más próximos a Coué). En la teoría de la autosugestión de Coué, el individuo tiene conciencia de impartir órdenes a su inconsciente. Para poder ve-

rificar prácticamente la teoría de Coué es necesario tener en cuenta los dos postulados fundamentales que están presentes en ella:

1. no se puede pensar en dos cosas al mismo tiempo;
2. cada pensamiento que ocupa nuestra mente se convierte en verdadero para nosotros y tiende a transformarse en acto.

Para Coué, en cada hombre hay una continua interacción entre dos partes fundamentales que están presentes en la configuración de la conciencia individual: el Yo primero consciente y el Yo segundo inconsciente.

Es el Yo segundo el que nosotros no conocemos, el que se presenta de forma dual, mitad genio y mitad esclavo. «Este Yo segundo no duerme nunca y se ocupa de todo lo que el Yo primero le propone. Es el guardián de nuestra memoria, y en cuanto nosotros le pedimos algo que la memoria ha relegado, él lo encuentra sin el más mínimo esfuerzo. Pero se demora en estancias tan lejanas que resulta difícil establecer una relación con él y transmitirle aquello de lo que tenemos necesidad. Parece ser que el mejor momento es aquel en que nuestro Yo primero no está de servicio, es decir, el momento en el cual se está a punto de coger el sueño, y también el que sigue inmediatamente al despertar» (E. Coué).

Es el Yo segundo, siempre despierto, el que está dispuesto a resolver nuestro interrogante. Es una lástima que se demore en «estancias lejanas» y que dificulte su logro. Este Yo segundo posee cualidades particulares, las cuales, una vez descubiertas, facilitan el desarrollo de la comunicación con el Yo primero. A él le gusta oír más de una vez, incluso hasta veinte veces, las informaciones, mientras que detesta ser tratado a la fuerza; agradece la voz suave, las palabras susurrantes.

El uso de la autosugestión

La técnica base consiste en autosugestionarse conscientemente y no como ocurre cuando los demás condicionan nuestro inconsciente; basta con ser decisivos, y hablar con voz tranquila al inconsciente (Yo segundo); el convencimiento pasa a través de la repetición.

Mediante la autosugestión consciente se pueden curar numerosas enfermedades y aplacar el sufrimiento. Una frase característica de la práctica autosugestiva, que se debe repetir a modo de oración, veinte veces por la mañana en cuanto nos despertemos y otras tantas por la noche, al acostarnos, es la siguiente: «Cada día, en todos los aspectos, yo estoy mejor». Será tarea del inconsciente enviar a las diferentes partes del cuerpo y a los recovecos de la mente esta frase enunciativa.

Para practicar la autosugestión consciente es necesario sentarse cómodamente en un lugar tranquilo, cerrar los ojos e imaginar aquello que se desea proponer al inconsciente. En el lenguaje que se utiliza para autosugestionarse es necesario escoger las palabras con significado positivo y no recurrir a palabras dudosas o negativas. Por esta razón no hay que decir nunca: «Difícil, inalcanzable, imposible, prohibido, no puedo, no soy capaz, etc.»; al contrario, la frase más idónea que podemos repetirnos es esta: «¡Es fácil, yo puedo!»

Es tarea del hipnotizador guiar con frases apropiadas palabras y proposiciones que la parte consciente del sujeto pasará a su propio inconsciente. Es preciso convencer al sujeto de que es él quien alberga en su interior los conocimientos necesarios para su autocuración. La posibilidad de poner remedio a nuestros sufrimientos depende sólo de nosotros, porque para convertirnos en dueños de nosotros mismos basta simplemente con imaginar que ya lo somos. Lo que cuenta no es la voluntad, que, entre otras cosas, requiere esfuerzo, sino la educación de la imaginación. El destino es el resultado de nuestras acciones, y estas son el fruto de nuestro pensamiento. La suerte consiste en comprender lo que tenemos que hacer en el momento adecuado, y dicha comprensión pasa a través del conocimiento que se halla contenido en el inconsciente; y este conocimiento deriva del aprendizaje de la autosugestión. Cada hombre es el resultado de su modo de pensar: si continúas repitiéndote que estás a punto de caerte, te acabarás cayendo. Léon, una discípula de Coué, resumió el gran principio de la autosugestión con la frase: «Optimismo siempre y a cualquier precio, pese a la negación de los acontecimientos».

A continuación exponemos algunas frases autosugestivas inspiradas en el método Coué, que es preciso repetir al menos 20 veces.

- Esto pasará, esto pasará, esto pasará...
- Cada día más y mejor.
- Estoy en condiciones de controlar mis emociones.
- Me acuerdo perfectamente de todo lo que me interesa.
- El futuro me pertenece.
- Estoy en condiciones de tomar las mejores decisiones.
- Duermo bien y tranquilo.
- Estoy siempre contento y soy amable con las personas queridas.
- Mi estado físico está en plena forma.

TÉCNICAS AUTOINDUCTIVAS DE APERTURA

Para cualquier hombre o mujer que posea el don, o la desgracia,
de tener una mente ávida de saber,
es muy importante obtener toda aquella información que desee
con el fin de que una vez las exigencias del intelecto estén satisfechas
el corazón pueda entonces hablar.
MAX HEINDEL

Autoexamen

El hecho de poder dedicar 15 o 20 minutos a vosotros mismos cada día, en el silencio de una habitación, tumbados en vuestra cama o cómodamente sentados en una butaca, no es una manera de malgastar el tiempo, al contrario, es una forma de establecer las bases para poder vivir una jornada distendida y tranquila.

Si el ánimo es sereno y la mente lúcida, será más fácil afrontar los problemas cotidianos. Los obstáculos se relativizan, se saca un mayor provecho del trabajo, se es más tolerante con los demás.

Lo que realmente puede resultar extraño es que el hecho de dedicar algunos minutos a la relajación psicofísica, muchas alteraciones o trastornos desaparecerán como por arte de magia. Personas que padecen cefaleas, dolores reumáticos, asma, presión alta, exceso de colesterol, etc. podrán ver cómo desaparecerán o disminuirán estos trastornos y cómo recuperarán la salud. No sólo muchas personas con sobrepeso han visto cómo desaparecían sus kilos de más, sino que otras también han dejado de fumar. Todo eso es posible porque muchos de nuestros trastornos son debidos a un estilo de vida equivocado. Por ejemplo, muchas personas que tienen la necesidad de tomar alimentos dulces se refugian en los pasteles para colmar la falta de afecto y de comprensión, y muchas veces lo que les falta es el contacto epidérmico (la caricia) que se halla en nuestro interior desde que nacemos. La ternura que se desea tener es proyectada entonces hacia la búsqueda del alimento dulce y, en este caso, asume el rol de integrar, de colmar un vacío presente en el alma de la persona.

Lo mismo sucede con el vicio del tabaco, que en el fondo es la constatación de una gran inseguridad. Inconscientemente, llevar un cigarrillo colgando de los labios está relacionado con el significado del pezón materno y, por lo tanto, da seguridad. El tabaco es un antiestrés psíquico: para encender el cigarrillo es preciso efectuar diversos gestos que requieren un cierto tiempo (abrir el paquete, coger el cigarrillo, buscar el encendedor, encenderlo, etc.). De hecho, los fumadores fuman más en las fiestas, en las reuniones, en presencia de personas con las cuales no se tiene confianza, y todo ello para paliar la tensión o la sensación de inseguridad.

La relajación cotidiana, la meditación, el yoga, el zen, etc. —además de su elevado valor humano y de proporcionar una guía espiritual— consiguen eliminar la ansiedad cotidiana, las frustraciones, los sentimientos de culpa y las fobias. El mundo se muestra distinto, todo va bien, aunque en realidad nada haya cambiado alrededor, salvo sólo el punto de vista, la óptica, la actitud interior. Si uno está relajado, la sonrisa surge de forma espontánea, las personas se saludan efusivamente, se intercambian algunas palabras con los vecinos o con el taxista. La vida parece distinta, como si nos pusiéramos un par de gafas rosas.

Todos creemos que nos comportamos como es debido y que siempre son los otros los que se equivocan. Tenemos algún que otro defecto, pero los demás tienen muchos más. Nuestro inconsciente siempre encuentra la solución a todo con tal de salvaguardar nuestra propia autoestima. Son siempre los demás los que resultan antipáticos, son siempre los demás los que son ariscos.

Pensemos en todas las personas que nos resultan desagradables, ¿estamos realmente seguros de que sólo es por culpa suya? No hay duda de que con algunas personas resulta muy difícil estar de acuerdo (porque son demasiado distintas a nosotros), pero seguramente es imposible no estar de acuerdo con todas. Intentemos cambiar nuestro comportamiento y nos daremos cuenta de que la culpa de una relación social difícil era, en parte, también nuestra. ¡Cambia... y el mundo cambiará!

El estrés

Los estímulos de tipo social pueden ser causa de estrés. Un disgusto, un insulto, una crisis de celos crean reacciones psíquicas, pero también bioquímicas, que desencadenan ansiedad, estrés y depresión.

También las emociones inducidas, como ver una película o una representación con una carga emotiva muy fuerte, pueden desencadenar estados de estrés momentáneos. Del mismo modo, una situación pasajera inducida puede desencadenar acciones interiores psíquicas de carácter latente y renovar un estado de estrés exógeno. De modo que, después de haber visto una película, el sujeto padecerá durante unas horas o días (con una actividad onírica particularmente cargada de estímulos) un estado de estrés que aparentemente se desvanece con el tiempo.

Entre las principales emociones de estrés hay que destacar los celos, el odio y el rencor. Estas, por reacción, comportan sufrimiento, angustia y, en algunos casos incluso, la idea de matar a aquel considerado el culpable de dicho estado.

Los ritos de magia negra se basan precisamente en el odio producido por un estado de estrés desmesurado. Tengamos, pues, en cuenta que el estado emocional forma parte de la actividad psíquica del hombre. Cada acción es el resultado de una gratificación o penalización, ambas útiles para la psique, para crear el estado de elección, de discernimiento, que conduce al conocimiento. Por lo tanto, un equilibrio adecuado de estrés positivo y de estrés negativo forma parte de la normalidad de cada individuo. Sin embargo, cuando una situación extremadamente desagradable o agradable se instala con violencia, el equilibrio se rompe y es reemplazado por una respuesta de carácter paradójico que conduce a una inestabilidad psíquica alarmante.

La relajación

Tensión y distensión: una vez más nos encontramos frente a dos opciones que, contrapuestas, crean el estado de equilibrio. Sabemos que el estado de tensión de un músculo indica el estado de contracción de las fibras musculares y que, cuanto más óptima es esta contracción, tanto mejor es el resultado muscular. La fuerza muscular depende del tono del tejido, pero los músculos sometidos a un trabajo intenso se fatigan y necesitan el debido reposo, es decir, la distensión. Cuando, sin motivo alguno, los músculos se mantienen en tensión, estos, además de producir un cansancio precoz, disminuyen también el umbral de reacción.

Los músculos reciben la orden de acción o de reposo del cerebro, es decir, de la actividad psíquica del sujeto. Un temor imprevisto puede bloquear completamente los músculos de una persona, o bien una fuerte emoción o una alegría pueden contraer los músculos del cuello y de la laringe, produciendo una afonía que puede durar varios días.

El dualismo tensión-distensión

La tensión-distensión, antes que un hecho fisiológico, es un hecho psicológico. La tensión es para muchas personas una mala costumbre que, continuamente, los pone en un estado de alerta injustificado. Para anular las tensiones, es necesario aislarlas, descubrirlas y conocerlas.

Para comprender mejor el dualismo tensión-distensión, intentad sentaros cómodamente y cerrad los ojos, y luego cerrad con todas vuestras fuerzas la mano derecha en un puño. Al cabo de unos segundos disminuid lentamente el apretón hasta que sintáis una sensación de pesadez en el brazo; incluso añadiría que no podréis levantarlo hasta que no haya pasado un cierto tiempo. Habréis provocado la «distensión», que consiste en la total relajación de los músculos afectados y no en una operación intermedia.

Cuántas veces nos creemos que estamos relajados y, sin embargo, tenemos el ceño fruncido, las mandíbulas tensas y los glúteos contraídos y no nos damos cuenta. Pues bien, empecemos por descubrir estas tensiones analizando las diversas partes musculares del cuerpo, sintiendo la presencia de las zonas que están en tensión. Una prueba muy simple que puede haceros aumentar el grado de reacción al estado de distensión, y por lo tanto de relajación, consiste en apoyar el brazo derecho, la parte cercana al codo, sobre el índice de la mano izquierda, y después retirar bruscamente el dedo que hace de soporte. Si vuestro brazo derecho está relajado, caerá hacia abajo como un peso muerto, como si fuese un objeto que cayera al suelo; sin embargo, si aunque sólo por un instante, permanece contraído, suspendido en el aire, significa que no está relajado. Con este método tan sencillo se puede saber qué se entiende por distensión completa.

Hemos visto que la orden tensión y distensión es un factor psíquico. Pues bien, así como la mente actúa sobre el cuerpo, del mismo modo un resultado obtenido proporciona a la mente una importante gratificación. Todos sabemos que, si damos en una diana, hacemos un trabajo o escalamos una cumbre, nos sentimos interiormente felices. Cuando un sujeto aprende las técnicas de distensión, adquiere confianza en sí mismo, lo que le proporciona seguridad, tranquilidad y autoestima. El Yo ha superado un obstáculo y como reacción gratificante nos hace sentir más confiados, valerosos, voluntariosos, etc., es decir, aumenta nuestra autoestima.

La autodistensión

La autodistensión, la relajación psicofísica, puede actuar y curar todos aquellos trastornos de la psique que, somatizados, pueden desencadenar las más variadas alteraciones, como migraña, úlcera, eccemas, etc. La confianza en uno mismo puede inducir a que una persona deje de fumar o que se aplique en el estudio o que mejore la carga agonística en el deporte. Las ventajas psicofísicas de la relajación son:

- mejor metabolismo;
- menos ansiedad;
- estabilización cardiaca y respiratoria;
- aumento de la velocidad de los reflejos;
- aumento de la concentración;
- aumento del aprendizaje;
- capacidad de relajarse ante una orden;
- capacidad de controlar las disfunciones menores;
- armonía entre cuerpo y mente;
- agudeza de los sentidos.

Estamos en condiciones de valorar la relajación según las siguientes sensaciones:

- sensación de bienestar;
- desconocimiento de las sensaciones físicas;
- cuerpo pesado;
- autocontrol;
- sensación de relajación;
- desconocimiento del ambiente;
- visualizaciones claras;
- estado de conciencia pasivo;
- leve aturdimiento;
- sensaciones de leve mareo;
- sensación de placer y no querer despertarse.

LAS FASES DE RELAJACIÓN

En el plano físico, la relajación se alcanza a través de las siguientes fases:

- tensión extrema;
- ligera sudoración en las manos;
- sensación de vigor;
- situación de bienestar;
- capacidad de observación;
- reposo físico;
- inicio de la relajación;
- aumento de la sensación de tranquilidad.

En el plano mental podemos, sin embargo, reconocer las siguientes etapas de la conciencia activa al alcanzar la completa relajación:

- conciencia activa;
- pensamientos normalmente claros;
- pensamientos agradables y sencillos;
- pensamientos menos activos;
- presoñolencia;
- aumento de la sensibilidad;
- conciencia pasiva;
- ofuscamiento total de los sentidos.

Reacciones reflejas

Se llaman reacciones reflejas a todas aquellas que se desencadenan automáticamente sin que la parte consciente se de cuenta de ello. En los ejercicios de autorrelajación, se emplean las reacciones reflejas porque facilitan la tarea y mejoran el resultado.

Una característica reacción refleja es la que se produce en los globos oculares, pues basta una ligera presión durante unos segundos para restablecer un ritmo cardiaco normal (reflejo bulbo-ocular cardiaco). Sin embargo, cuando la mirada está dirigida hacia arriba y los párpados están bajados, se configura un estado de *presueño* con emisión de ondas alfa por parte de la corteza cerebral. Por lo tanto, es aconsejable, después de haber entornado los ojos, desplazar la mirada hacia arriba, intentando fijarla en un punto alto en la frente, entre las cejas, aproximadamente un centímetro más arriba y a dos centímetros de profundidad, donde más o menos estaría situada la glándula hipofisaria.

Una reacción refleja dictada por el condicionamiento se produce cuando utilizamos siempre la misma habitación y la misma cama. Sabemos, de hecho, que un ambiente familiar otorga una cierta seguridad. Por eso, la utilización de la propia habitación y de la misma cama o butaca mejora el buen desarrollo de la sesión.

Por último, hay que tener en cuenta el estado reflejo más importante, es decir, el mental.

El hecho de asumir ya la posición propia de la sesión y de estar dispuestos a iniciar el ejercicio provoca, automáticamente como reflejo, sensaciones de calma, tranquilidad y distensión, que van acompañadas de auténticos cambios psíquicos y fisiológicos. Estamos, pues, en presencia de un factor bioquímico, y no se trata sólo de una conjetura, como ya se ha dicho al hacer referencia a los estudios de los reflejos condicionados de Pavlov.

Con el entrenamiento, estos actos reflejos mejoran cada vez más, poniéndonos en condiciones para instaurar, en cualquier parte donde nos encontremos y pensando sólo en el ejercicio, un estado de distensión y de calma.

Los preliminares de la relajación

Siempre corriendo, siempre agitados, siempre ansiosos, y en el fondo sin saber por qué ni para qué.

El hombre moderno se halla rodeado de mecanismos complejos. La tecnología le permite hacer cosas que cincuenta años antes resultaban impensables. Y sin embargo, en lugar de estar contento y sereno, se enfurece cada vez más y entra en crisis más a menudo. ¿Por qué?

El avión, la televisión, el ordenador no pertenecen a la dimensión humana; por el contrario, un paseo por los bosques o a la orilla del mar hacen que el hombre se sienta vivo y arraiguen en él aquellas agradables sensaciones que inmerso en el caos urbano no consigue encontrar.

Las enfermedades nerviosas están cada vez más difundidas y los médicos compiten entre ellos para acuñar nuevos términos: trastornos neurovegetativos, sintomatología de crisis depresiva, psicosis de confusión mental y muchas más. Y aquí está, pues, la somatización, es decir, convertir en físico un trastorno psicológico: úlcera, duodenitis, estreñimiento, insomnio, etc. Pues bien, la mejor cura para todos estos trastornos es simplemente «la tranquilidad». «Resulta fácil decirlo, y difícil, sin embargo, de ponerlo en practica», puede pensar más de un lector en este momento.

No cabe duda, y hay que tener en cuenta que no se pueden curar los trastornos psicológicos con fármacos, sino sólo con una cura que actúe en el mismo plano: por lo tanto, no nos queda más que nuestra propia mente. Resultará difícil salir de un círculo vicioso que se ha creado a causa del estrés, pero si alguien os toma de la mano, os ayuda, os indica el camino, y si vosotros confiáis en ese alguien, veréis que todo será bastante sencillo, fácil e incluso agradable. Esta persona no hará más que utilizar vuestros propios recursos, vuestras propias energías, las mismas que han provocado poco a poco el desequilibrio, sólo que estos recursos y estas energías serán ahora utilizadas para reparar y devolverle la salud. Esa persona que puede ayudaros puede ser el médico, el amigo, un pariente, o simplemente un libro, concretamente lo que nos propone este texto.

Cada uno de nosotros lleva en su interior el bien y el mal, la alegría y la tristeza, la locura y la sabiduría, y de nosotros depende su elección. Iniciamos nuestro encuentro con una serie de sugerencias de carácter práctico que resultarán indispensables para alcanzar un buen estado de relajación psicofísico y que os permitirán alcanzar elevadas metas. Para empezar, no hay que hacer nada con prisa, y es preciso tener más tiempo a nuestra disposición del que en realidad necesitaremos. El ambiente debe ser tranquilo, la iluminación tenue, preferiblemente con luz azul, que invita más fácilmente al estado de relajación.

Siempre que sea posible utilizad la misma habitación, de modo que creéis una cierta seguridad y una costumbre. Las mejores horas son las de la noche y las de la mañana; los ejercicios deben realizarse en horarios alejados de las comidas, que, por otro lado, deben ser ligeras. La ropa debe ser cómoda, y será indispensable aflojar toda indumentaria que apriete, especialmente el cinturón, la corbata, el cuello de la camisa; más adecuado sería realizar los ejercicios en pijama o en camisón.

La posición más apropiada es la supina, aunque puede resultar perjudicial para aquellos que sufren de artrosis, para los obesos y también para las mujeres embarazadas. Hay que tener en cuenta además que las piernas nunca deben estar cruzadas y que la cabeza debe estar bien apoyada de manera que favorezca la relajación de los músculos del cuello.

El ambiente debe carecer de ruidos molestos; si no fuese así, utilizad sonidos adecuados, como música relajante y a bajo volumen. A las personas que les gusten los perfumes orientales pueden rociar la habitación con estos aromas (sándalo, incienso, rosa, almizcle, etc.).

Las mujeres deberían abstenerse de realizar los ejercicios de tipo superior durante la menstruación; por el contrario, en ese periodo, la relajación les resultará notablemente beneficiosa.

Quien desee utilizar ventajosamente el campo magnético terrestre deberá tener en cuenta que en posición supina deberá colocar la cabeza hacia el Norte magnético y los pies hacia el Sur, mientras que en posición de sentado, el rostro deberá estar dirigido hacia el Norte magnético, lo cual puede detectarse con una simple brújula.

Un último consejo: en la posición de sentado, no se deben llevar zapatos de suela aislante, porque dichas suelas provocan una acumulación de carga electroestática que genera mucho nerviosismo.

Ahora pasemos a un ejemplo práctico, escogiendo para ello la posición supina. Estáis extendidos sobre una cama ni muy rígida ni muy suave, con la cabeza apoyada directamente sobre el colchón o sobre una almohada baja, las piernas extendidas con la punta de los pies apuntando hacia el exterior (en esta posición los músculos están relajados), y los brazos dispuestos a lo largo del cuerpo con las palmas de las manos hacia abajo. Ahora realizáis un movimiento con la cabeza para encontrar una buena posición. Cerráis los ojos y fijáis la mirada en un punto imaginario entre las cejas y desplazado un poco hacia arriba (esta es la posición en la que se encuentran normalmente los ojos cuando dormimos).

Realizaréis entonces una serie de respiraciones profundas para oxigenar la sangre: inspiráis por la nariz (de modo que el aire al recorrer las fosas nasales ricas en capilares llegue caliente a los pulmones), aguantáis la respiración durante un par de segundos, luego expulsáis el aire por la boca, como si estuvierais soplando para apagar una vela. Continuáis así durante unos minutos para luego retomar la respiración normal, y comenzáis a aplicar las diversas técnicas de dinámica mental. ¡Buena relajación!

LA VISUALIZACIÓN MENTAL

> *Vivir en la idea significa*
> *considerar lo imposible*
> *como si fuese posible.*
>
> JOHANN WOLFGANG GOETHE

Todavía hoy en día, no sólo muchos psicoterapeutas se adhieren a la teoría de la autosugestión consciente de Coué, sino que, además, han descubierto numerosos vínculos entre hipnosis y visualización. En la práctica de la hipnosis clásica, el hecho de alcanzar un estado hipnótico profundo se obtiene mediante el recurso de la visualización, eso que en el método propuesto por Coué corresponde a la imaginación.

La imaginación une el pensamiento con el sentimiento, e instaura en el sujeto la idea de la realización, estimulando de este modo la acción. Mediante las imágenes mentales, se pueden modificar modelos lógicos e informaciones enunciativas, convirtiendo en dinámico lo que es estático y en algo vivo lo que es inerte. En el estado de hipnosis, el inconsciente no está en condiciones de distinguir la fantasía de la realidad, por lo que cada vivencia mental asume características importantes y notablemente significativas.

Las técnicas imaginativas

Las técnicas imaginativas son unos instrumentos magníficos para utilizar en hipnosis. Dichas técnicas, llamadas *imaginería mental*, se emplean desde hace mucho tiempo y son válidas tanto para la heterohipnosis como para la autohipnosis. Es preciso provocar el proceso imaginativo, hecho que, una vez alcanzado un nivel hipnótico profundo, resulta bastante fácil.

Las imágenes de partida deben ser simples, por ejemplo la visualización de un hermoso prado verde o de una playa o de una zona de colinas o montañas. Una vez se haya iniciado el proceso imaginativo, dependerá del sujeto si desea continuar desplazándose mentalmente a otros lugares. En las primeras visualizaciones, el único vínculo podría ser aquel que se refiere a los elementos naturales.

Los ejercicios de autohipnosis nunca deben presentar dificultades ni ser costosos, sino que todo debe desarrollarse en completa armonía y distensión, automáticamente, del mismo modo que la nieve cae de las ramas cuando estas se doblan bajo su peso, así como el agua se desliza por el tejado o el río discurre hacia el mar: un movimiento mental generado por cuenta propia, que se produce de forma natural, sin esfuerzo ni fatiga.

No pensar en nada resulta imposible, pues al pensar en no pensar, ya se está pensando en algo. Por este motivo, en los ejercicios se utilizan visualizaciones mentales simples y fáciles, en general relajantes, que tienen la finalidad de crear sensaciones agradables.

Los primeros ejercicios están dedicados a la relajación corporal, los siguientes a provocar sensaciones agradables destinadas a modificar los estados de tensión y a producir sugestivas gratificaciones.

Las visualizaciones se pueden dividir en distintas categorías según sea el estado de evolución de los procesos hipnóticos.

A. Las primeras visualizaciones están dedicadas al color. Esto quiere decir que debéis esperar que un color surja en vuestra mente. Debéis percibir todas las sensaciones, pensando que vivís con el color y en el color, sintiéndolo vibrar en vuestro cuerpo, en las células, en la sangre, en los órganos, en la respiración, convirtiéndose todo en un color. El color que os aparezca en vuestra mente no es por casualidad, sino que encierra un importante significado. Tened en cuenta que el color visualizado es algo muy personal y que vosotros estáis en sintonía con esa presencia. Es el primer paso hacia el conocimiento del mundo interior. Cuando sintáis la necesidad de descargaros o de regeneraros, pensad en ese color, en vuestro color personal, entrando así en sintonía con las fuerzas nuevas que, en el fondo, siempre habéis tenido, pero que no conocíais.

B. El segundo tipo de visualización consiste en hacer aparecer en la mente escenas de paisajes naturales: un hermoso prado verde, un mar azul, un atardecer, una gaviota que planea sobre el lago. También en este caso no debéis hacer un esfuerzo mental; la imagen se alcanza no porque se piense de manera consciente, sino porque se genera en el interior, en las profundidades, como un balón que, inmerso en el agua, sube a la superficie sin esfuerzo alguno.

C. Más adelante se podrá pasar a la percepción de conceptos abstractos como el amor, el egoísmo, la libertad, la pereza, la voluntad, etc. Esta fase no debe preceder a las otras dos, precisamente porque los conceptos tomarían forma como en las visualizaciones y detectarían que el sujeto no está preparado. También la elección del tema debe acudir de un modo espontáneo, sin tener que realizar un esfuerzo mental, debe ser como un sol que surge por detrás de una montaña, gradualmente, aferrando poco a poco el significado de la visualización.

D. Otro tipo importante de visualización es el simbólico. Los símbolos son para el hombre importantes representaciones cargadas de significado, sobre todo cuando se trata de símbolos arquetípicos, es decir, que se remontan a la antigua evolución del hombre. Los símbolos arquetípicos colectivos contienen importantes experiencias que acontecieron en los albores de la humanidad. Detenerse en la visualización de uno de esos símbolos significa provocar el surgimiento de antiguos recuerdos y conocimientos. El círculo, el cuadrado, el triángulo, el fuego, el sol, la luna, las estrellas, la tierra, el agua, la serpiente, son símbolos de lo más significativo y cargados de mensajes. Visualizar un círculo quiere decir sumergirse en el significado psíquico, anímico y simbólico de esta figura geométrica. Se trata de energías, significados y contenidos que, en su primera aparición, no se detectan, pero que, en un estado diversificado de conciencia, se muestran en toda su pureza.

E. Durante algunas visualizaciones pueden desarrollarse determinadas percepciones de carácter telepático, profético y precognitivo. Nos encontramos ante el maravilloso mundo de las facultades extrasensoriales que cada persona posee en su fuero interno, pero que sólo unos cuantos saben utilizar. Cuando eso sucede, es preciso, una vez más, no dejarse vencer por las emociones, e intentar que la mente vague por los meandros de lo insólito con normalidad, como si se tratara de lo más normal del mundo. Podréis captar el pensamiento de una persona lejana, verla en su casa o percibir un acontecimiento del futuro. Tenedlo en consideración, pero no intentéis a toda costa repetir la experiencia en la próxima sesión, nada debe ser programado y forzado, pues sólo así las probabilidades de repetición serán enormes.

F. Las visualizaciones pueden abarcar los temas más variados: desde el recuerdo del rostro de una persona, la forma de un objeto, a la visualización de un animal, una planta o una roca. Cuando se ha adquirido confianza con la autohipnosis, todo es aceptable, hasta el punto de poder dialogar con nosotros mismos, cuestionándonos preguntas a las cuales les será dada una respuesta que, muchas veces, es completamente distinta a nuestro aparente modo de pensar. Quien nos habla es nuestro sabio interior, nuestro ser escondido, aquel que nos gustaría ser.

EJEMPLOS DE VISUALIZACIÓN

La rosa

Visualizad sobre un fondo blanco (panel, pantalla) un capullo de rosa roja. Este capullo de rosa comienza a abrirse lentamente. Los primeros pétalos externos se abren despacio, suavemente. Mientras estos pétalos se abren, cada músculo vuestro comienza a relajarse. Primero se relajan los músculos del cuello y de los hombros. Ahora se abre lentamente otra corola de pétalos y los músculos del tórax o de los brazos están cada vez más relajados. Todavía otra serie de pétalos rojos, perfumados y suaves, se abren con suavidad, y también los músculos de la pelvis y de las piernas se relajan por completo (si se quiere, se puede continuar dividiendo el cuerpo en más zonas musculares). Ahora el capullo de la rosa se abre por completo, mientras la relajación es a la vez muy completa. Cuando el capullo se haya abierto por entero, todos los músculos estarán completamente relajados, os sentiréis perfectamente bien, tranquilos, profundamente relajados. Ahora los últimos pétalos rojos se abren lentamente, ahora la rosa está abierta por completo. Vuestro cuerpo está totalmente relajado y un agradable bienestar invade vuestra mente. Estáis tranquilos, serenos, perfecta y profundamente relajados.

El río

Visualizaos vosotros mismos sentados cerca de un río, en una zona apartada de un pequeño bosque. Observad los árboles, el

---

(continuación)

cielo azul de este espléndido paisaje que os proporciona calma y tranquilidad. Os sentís a gusto, serenos. Prestad ahora atención al río, observad el agua que se desliza limpia, fresca, transparente. Cerca de vuestra cascada, mirad el agua que cae por la pendiente, rebotando y haciendo espuma. Un rayo de sol hace brillar las gotitas de agua, resplandecientes, parpadeantes. Escuchad el murmullo de la cascada, el ruido del agua que cae, como un retumbo, un borboteo. Poco a poco este ruido va transformándose, empezáis a escuchar palabras que el río os susurra. Escucháis: «Yo estoy relajado...», y «...me relajo cada vez más». A cada frase, vuestra relajación es cada vez mayor; vuestro cuerpo está cada vez más relajado. Escucháis todavía: «Todos mis músculos se relajan» y «...estoy perfectamente bien» y «...estoy perfectamente tranquilo y relajado». Ahora vuestra relajación es completa.

Utilización de las técnicas autohipnóticas

Varios son los campos de utilización de las técnicas autohipnóticas y de las visualizaciones, y estos pueden referirse a la capacidad de afrontar situaciones específicas de tensión o bien a la toma de conciencia y al hecho de proponer un cambio de los nudos no resueltos de la propia personalidad, ya sea atenuar cuando no resolver trastornos psicosomáticos.

Fijarse en espirales facilita
la inducción hipnótica

Prepararse para un examen

El miedo a los exámenes no desaparece nunca, no importa la edad que se tenga o el tipo de examen que sea. El examen asusta porque encierra la idea del juicio, de no estar a la altura de los acontecimientos. En el fondo, cualquier prueba de examen es como un rito de paso, porque después de haberlo superado nos hace sentir distintos, como en las antiguas pruebas de iniciación. Además, implica también el miedo al juicio por parte de los parientes y amigos: «¿Qué es lo que pensarán de mí, que no he estado a la altura de las circunstancias?». Ante la sola idea de un examen se manifiestan los síntomas de ansiedad. Para poner remedio a estos inconvenientes se puede recurrir a la autohipnosis. El objetivo es el de crear una imagen positiva de uno mismo y adquirir aquella confianza que permite contar con las propias capacidades intelectuales; hay que ser contundente: «Yo estoy en perfectas condiciones de dar lo mejor de mí mismo, manteniendo un estado de completa tranquilidad. Yo estoy perfectamente en condiciones de comprender el significado de las preguntas que me serán propuestas». Estas son algunas sugestiones tipo que es necesario impartir en autohipnosis, visualizándose a uno mismo en el propio ámbito y en las condiciones en las cuales se desarrollará la prueba.

Emotividad y timidez

Una cosa es cierta: la emotividad es el resultado de un estado de tensión.
La psique del sujeto emotivo reacciona como un estado de alarma injustificado, desarrollando miedos sin un verdadero o aparente motivo. Basta hablar con una persona a la que consideramos socialmente superior, o con una que lleva un uniforme o que es del sexo opuesto. Estos son sólo algunos de los ejemplos de factores determinantes de la emotividad.
Un estado emotivo se debe, por lo tanto, a una sucesión psicológica de emociones capaces de producir modificaciones fisiológicas: las piernas parecen presentar flojedad (disminución del tono muscular); el corazón late más rápidamente (reacción de alarma); la respiración es entrecortada y la voz tiembla (tensión muscular); el rostro empalidece, y algunos sujetos se ruborizan.
Con la autohipnosis, tales situaciones se desdramatizan, al tiempo que se mantiene la calma y la tranquilidad, llegando a visualizar, en los ejercicios superiores, la imagen positiva y el cambio mental.

Los procesos que desarrollaban estados de ánimo negativos son examinados, manteniendo un perfecto dominio y seguridad.

Recuperar el sueño

Por la noche, a la hora de dormir, se programa el despertador para que suene después de aproximadamente treinta minutos. Y tras haber practicado las técnicas de relajación se llevará a cabo la siguiente sugestión: «Cada minuto del periodo de sueño hasta que suene el despertador se producirá un sueño reparador, durante el cual me llenaré de energía vital y, mañana por la mañana, me sentiré plenamente en forma y habré descansado por completo». Cuando suene el despertador, este será desactivado y lo programaremos de nuevo para que suene a la hora habitual de cada mañana.

Esta técnica sólo se empleará en casos de extrema necesidad, cuando no se pueda hacer otra cosa, porque la sensación de haber descansado es exclusivamente mental, mientras que el organismo queda privado de la necesidad de las horas reales de sueño. En cualquier caso, se empleará como máximo una vez a la semana.

Insomnio

Debemos señalar que el sueño es una importante necesidad fisiológica sin la cual el hombre no puede vivir. El insomnio es el más frecuente de los trastornos psicosomáticos y, en la mayoría de los casos, su causa se debe a problemas psicológicos reprimidos.

Otras veces, la causa es aparentemente banal y está relacionada con una tensión emocional propia de la jornada que le proporciona insomnio al sujeto o bien un sueño alterado.

Existe, sin embargo, el peligro de que aflore el temor a no conseguir dormirse, de modo que en las noches siguientes, el temor a permanecer despiertos y la obsesión de tener que dormir a toda costa provocan insomnio. Las técnicas de autohipnosis resultan ser un medio válido para vencer el miedo al insomnio y, por lo general, para conseguir un buen estado de relajación.

Apenas nos hayamos acostado, realizaremos, con los ojos cerrados y durante algunos minutos, algunas respiraciones profundas, pensando mentalmente en el color azul (este color proporciona calma y tranquilidad). Luego visualizaremos una panel completamente negro o bien una pizarra. Sobre esa superficie negra imaginamos que con una tiza blanca fosforescente escribimos el número 100, con las cifras muy grandes, luego nos imaginamos que borramos este número y que lo sustituimos por el 99, y así sucesivamente, descendiendo de número en número. Entre un número y otro es conveniente intercalar sugestiones mentales de este tipo: «Cada vez te relajas más, entras en un agradable sueño, número tras número las sensaciones de sueño también aumentan (etc.)». El sujeto se adormece antes de llegar al número cero.

Impotencia y eyaculación precoz

La impotencia es, en la mayor parte de los casos, un problema psicológico con diversas causas, entre las cuales no hay que olvidar la actitud masoquista; en ese caso, el hombre resulta impotente ante una sola mujer (generalmente la esposa o la amante) para mortificarse, porque tiene sentimientos de culpa inconscientes. Otras veces, la impotencia nace al querer castigar la sensación de placer de la pareja, debido a incomprensión o por desquite. Existe, además, la impotencia (la más difundida) causada por el miedo a fallar en las relaciones sexuales, sobre todo cuando se está convencido de que la mujer quiere un coito excepcional.

Películas eróticas y revistas pornográficas han contribuido últimamente a desencadenar este tipo de impotencia, instaurando en el inconsciente del macho la idea del superhombre sexual. De ahí la ansiedad, la tensión y el miedo de no poder estar a la altura, y que pueden desencadenar la falta de erección o bien erecciones parciales o, por el contrario, una eyaculación precoz, la cual, además de impedir la realización del coito conlleva que la pareja no alcance el orgasmo.

La relajación física y mental, acompañada de ejercicios que llevan a vivir mentalmente un acto sexual completo y en plena forma, está en condiciones de instaurar tanto la confianza como el reflejo condicionado, los cuales, en el momento del acto sexual real, asumen el valor revivido y, por lo tanto, conducen a la buena realización del coito. En la eyaculación precoz, la visualización debe ser canalizada a desplazar la atención, de tanto en tanto y durante unos segundos, hacia pensamientos extraños o alejados del propio acto sexual, como por ejemplo hacia los libros que hay sobre un estante o hacia las marcas que hay en una pared, o bien hacia un cuadro.

Una adecuada visualización para los ejercicios de autohipnosis es la de determinar que la eyaculación se producirá sólo cuando un determinado esquema mental tome forma.

Imaginad, por ejemplo, un termómetro numerado del uno al diez. Durante el acto sexual, visualizad de vez en cuando la columnita de mercurio que alcanza el número siguiente, estableciendo pausas temporales según vuestro agrado. La eyaculación se producirá en el número diez, pero no antes.

Frigidez

También la frigidez, como la impotencia, está relacionada principalmente con problemas psicológicos. En la mayor parte de los casos, la mujer no ama a su compañero, o bien el hombre intenta ponerla en ridículo ante la sociedad; por eso en el momento del acto sexual, se produce la revancha y el inconsciente bloquea los músculos vaginales, anales y perianales de la mujer para demostrarse a sí misma que puede vengarse.

En la autohipnosis es preciso llegar a la causa e intentar anular activamente el pensamiento forma, que es la causa principal. Luego es conveniente centrar la atención en los músculos de la parte inferior del cuerpo, en el vientre, en la vagina, en la pelvis, en el perineo, y relajarse lo máximo posible, incorporando el reflejo de continuar relajada también durante el acto sexual.

Enfermedades de la piel

La piel representa nuestro límite corporal, nos separa de los demás, pero al mismo tiempo es también la parte más visible en relación con las otras personas. Cada uno ve en su piel su propia individualidad, su propio ser encerrado en su contenedor cutáneo.

Cada problema interior es proyectado hacia el exterior, hasta el punto de que cada uno tiene la piel que se merece, según sea su personalidad. Sufrimiento, insatisfacciones, represiones, ansiedades y conflictos a menudo son exteriorizados en forma de eccemas, forúnculos, urticaria o picazones. De nada sirven las pomadas o los cosméticos para camuflar la realidad interior que aflora en la piel. Al contrario, una toma de conciencia de la causa psicológica puede conducir a una rápida y clara mejora.

Durante las sesiones de autohipnosis, es preciso visualizar la propia piel con sus alteraciones, como si se tratase de la proyección de una película, con el fin de poder comprender cuáles son las causas psicológicas que provocan los trastornos cutáneos.

Las cefaleas

Entre los diversos dolores de cabeza, el más difundido es el que se conoce como *cefalea tensional*, que está presente en más del 70 % de las personas que padecen síntomas cefálicos. A esta cefalea se la llama así porque está relacionada con la contractura prolongada de los músculos del cuello y de la cabeza. De hecho, está presente en las personas ansiosas y surge a menudo después de haber estudiado o conducido el coche. El dolor se expande desde la nuca al cuello y, a veces, también alcanza los hombros, provocando la sensación de aprisionamiento de la cabeza.

Observamos en seguida que el dolor de cabeza, en ese caso, se debe a un esfuerzo prolongado de los músculos afectados, los cuales, por reacción, reclaman más sangre en esa zona. Debido a la consecuente vasodilatación, el sujeto acusa el dolor. Para combatir esta cefalea tensional basta con relajar los músculos de los hombros a la cabeza, incluidos también los de la frente (ceño fruncido), y eliminar la tensión de las mandíbulas, que deberán estar relajadas y no cerradas.

Durante los ejercicios, es conveniente centrar la atención en los músculos afectados y, en caso de dolor de cabeza, aplicar una dinámica mental en la que se deberá visualizar el cuerpo aprisionado por una lámina metálica que lo cierra, provocando el mal. Luego hay que imaginar que la lámina se rompe en varios trozos y libera por completo de este mal; por último, se debe imaginar que uno se siente perfectamente bien y que está totalmente en forma.

TRES PALABRAS CLAVE DE LA AUTOHIPNOSIS

DIALOGAR: hablar con nosotros mismos como si habláramos con otros.

VISUALIZAR: vernos a nosotros mismos como nos gustaría ser.

ELABORAR: asumir adecuadamente un comportamiento tranquilo, aunque se tenga la sensación de interpretar.

IMÁGENES
MENTALES

El verdadero dolor del hombre
se determina examinando
en qué medida y en qué sentido
él ha conseguido liberarse del Yo.

ALBERT EINSTEIN

En nuestra mente es posible representar nuestro pensamiento a través de dos formas principales: una de carácter enunciativo y otra de carácter figurativo. La representación enunciativa es de tipo lingüístico y se utiliza para almacenar la información en la memoria. Es descriptiva, emplea símbolos gráficos como nombres, verbos, adjetivos, etc., y se vale tanto de la percepción sonora como de la visual.

«El tipo de representación lingüística utilizada mentalmente se aleja mucho de las frases reales; a menudo nos acordamos de la esencia de una frase pero no de las palabras textuales (y mucho menos aún del efecto sonoro en el momento en que estas fueron pronunciadas). Un alemán que de muy niño emigra a Estados Unidos puede terminar olvidándose de una buena parte de la lengua alemana, pero continuará sin embargo recordando la información que retuvo originariamente en su lengua materna. El tipo de representación lingüística "destilada", que se utiliza para almacenar la información en la memoria, se denomina representación enunciativa» (S. M. Kosslyn, 1989).

El ojo de la mente

La representación figurativa está asociada a una única modalidad perceptiva: la vista. Esta se presenta como un conjunto de puntos dispuestos según una configuración espacial y permite el movimiento (por ejemplo, la rotación mental de las imágenes) y la aproximación, es decir, el zum.

Del mismo modo que una fotografía o una pintura requieren un soporte base, así también la imagen mental debe producirse en o sobre algún soporte. Se acepta de este modo la idea de un auténtico «ojo de la mente», que posee un fondo sobre el que son representadas las figuras; al límite externo se le llama *marco mental.*

Así como en la representación descriptiva de tipo enunciativo es importante la fuerza de la asociación, en la representación figurativa lo que cuenta es el grano del medio, que ofrece la calidad de la resolución. El grano no es el mismo a lo largo de toda la pantalla mental, sino que varía, siendo más fino hacia el área central. De esta manera las imágenes mentales son más nítidas si se hallan más cerca del centro. «Lo que se deduce es que para la parte central de máxima claridad el medio tiene forma circular, mientras que a niveles de nitidez inferior (es decir, hacia los bordes) la forma se aplana en una elipsis horizontal» (S.M. Kosslyn, 1989).

A través de constantes experimentos en laboratorio se ha podido constatar que la pantalla del ojo de la mente posee determinadas dimensiones que abarcan 30 grados de apertura, en los cuales la imagen resulta bien nítida y en total se extiende más allá de 100 grados; eso es tan cierto que en algunas situaciones críticas no resulta fácil distinguir la percepción de la idea, es decir, realidad fenoménica e idea de la realidad se pueden confundir. La superficie de la pantalla se presenta de forma rectangular con el lado más largo como base, igual que la disposición de los ojos en nuestro cuerpo.

«Por lo que parece, el "ojo de la mente" no cubre al mismo tiempo más de 30 grados, pero el medio en sí está en condiciones de

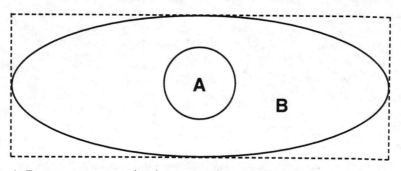

A. Zona con máxima nitidez de aproximadamente 30 grados
B. Zona menos nítida hacia el borde, que cubre aproximadamente 100 grados

grabar imágenes que abarcan un arco de más de 100 grados» (S. M. Kosslyn, 1989).

De lo expuesto hasta ahora, hay que constatar que el «ojo de la mente» y el ojo visual están sometidos a las mismas leyes. De esta correspondencia se deduce que imágenes y percepciones implican representaciones mentales muy parecidas. Cuando pensamos en el color rojo, nos ponemos sobre la frecuencia de la idea de tal color, el verdadero rojo, representable a nivel enunciativo o de figura mental percibida o imaginada. Por lo tanto, ver el rojo a través de la vía perceptiva, o referirse a su nombre, es lo mismo, lo que varía es el grado, que puede ser perceptivo o enunciativo o imaginativo.

«Un siglo más tarde, el filósofo escocés David Hume lo enunciaba de manera más sucinta: "La idea del rojo que nosotros nos hacemos en las tinieblas y aquella impresión que deslumbra nuestros ojos a la luz del sol difieren solo en el grado, no en la calidad". Es decir, las "impresiones" procedentes de los sentidos difieren sólo en la intensidad de las "ideas" que afloran en la memoria: "ideas" (imágenes mentales) e impresiones sensoriales están consideradas, esencialmente, el mismo tipo de fenómeno». (S. M. Kosslyn, 1989).

Las «impresiones» procedentes de los sentidos se diversifican por las «ideas» que nacen del recuerdo solamente en la intensidad; imágenes mentales e impresiones sensoriales están consideradas por el yo pensante como un único fenómeno. Las imágenes generadas internamente en la mente y las percepciones sensoriales utilizan los mismos procesos y las mismas estructuras mentales.

Volviendo a la diferencia entre aquello que se percibe a través de la fisiología del aparato visual y aquello que se imagina exclusivamente a nivel mental, hay que subrayar que las percepciones se establecen en el momento en que reflejan continuamente la realidad fenoménica circundante, mientras que las visualizaciones interiores son, por naturaleza, bastante mutables. Se podría afirmar también que las percepciones son un tipo de proyección en directo, mientras que las visualizaciones son una reproducción en diferido.

La pantalla mental se presenta como un formato hecho por muchas y pequeñas casillas, es decir, matrices puntiformes, y las imágenes mentales no se presentan construidas, sino que se van formando como un cuadro pintado por un pintor. La imagen mental se presenta gradualmente y, una vez completada, comienza a borrarse, a desvanecerse. La única posibilidad de mantener en el tiempo una figura mental es activando el proceso de regeneración, llamado *Regenerate*, que impide que las imágenes creadas se desvanezcan.

De hecho, las imágenes mentales cubren un espacio; en la representación figurativa la mente actúa como si estuviese situada en un espacio. Dicho espacio es entendido, en la concepción kantiana, como una intuición a priori externa. Así, el «ojo de la mente», para fijar aquello que se desee resaltar de la imagen, se desplaza de la misma manera que cuando miramos un paisaje y oteamos con los ojos las auténticas partes espaciales.

Por lo tanto, para desplazar la mirada de un punto a otro de la pantalla mental, se requiere un cierto tiempo. Por eso existe la posibilidad de aplicar a las imágenes mentales un modelo matemático, como la ecuación $T = V \times D$, donde T es el tiempo para examinar un objeto imaginado, V es la velocidad de reconocimiento y D la distancia recorrida con el ojo de la mente. Todo exactamente igual que cuando utilizamos el sentido de la vista.

Los investigadores se hallan, sin embargo, ante una disyuntiva: ¿las imágenes mentales son archivadas en la memoria a largo plazo o quizá no? Pues bien, la respuesta es que en la memoria las informaciones están almacenadas de forma enunciativa, como en una carpeta de tipo DOS. Las imágenes mentales son el resultado de una transformación de informaciones enunciativas en imágenes a través un proceso de PICTURE, el cual es realizable previa actuación del proceso de hallazgo, llamado FIND. La imagen generada puede ser sometida al proceso de aproximación, ZOOM, o de alejamiento, PAN. Dichos procesos permiten evidenciar particularidades o visualizar el conjunto. Hay que subrayar que las imágenes mentales, como las percepciones, se presentan de forma tridimensional, como si fueran casillas dispuestas en una caja.

El uso de las imágenes mentales

El uso de las imágenes mentales es útil para almacenar dibujos, mapas topográficos, tablas, pero aún es más adecuado cuando estas se transforman en una representación figurativa de informaciones de carácter enunciativo, es decir, en aquello que hace posible transformar una página de un cuento escrito en una secuencia fílmica mental.

Aún más: la visualización es útil para representar cosas ya observadas en nuevas relaciones, combinaciones o disposiciones. Incluso es posible llegar a la simulación mental de ciertas situaciones y ejecutar sólo mentalmente experimentos y ensayos: el todo creando símbolos figurativos que asumen el lugar de objetos y conceptos.

Además, la visualización puede ser utilizada como soporte visual para el pensamiento abstracto, ¿pero cómo es posible representar un concepto abstracto tipo *justicia*?

Para Platón, la mente racional aprende directamente del universo, del mundo de las ideas, mientras que el mundo físico, con su realidad fenoménica, es solamente su sombra. Para Aristóteles, sin embargo, la mente humana posee la facultad de abstracción y puede captar la esencia de la realidad y examinarla separadamente. He aquí por qué el concepto abstracto de justicia puede ser representado figurativamente en su esencia simbólica, hasta una mujer que sostiene una balanza se convierte en su imagen universal reconciliando a Platón con Aristóteles.

Intentemos ahora establecer los aspectos útiles del uso de las imágenes mentales:

- la imaginación une el pensamiento con el sentimiento;
- estimulan la imaginación y empujan a la acción, desde el momento en que imaginar indica disponerse para la acción;
- la imagen precede al lenguaje; la imagen es espontánea y natural mientras que el lenguaje humano es constrictor y artificial.

Práctica de las imágenes mentales

¿Cómo se puede intervenir sobre una imagen mental? Sintetizando podemos determinar que una imagen mental debe ser:

- generada;
- mantenida;
- inspeccionada;
- manipulada (sólo si es necesario).

Generar

Las funciones cerebrales se pueden dividir en dos categorías: estructuras y procesos. Las estructuras se refieren a los medios y los datos que están a nuestra disposición, igual que como para trazar signos en la escuela se recurre a la pizarra y a la tiza. Los procesos indican la comprensión de los signos dejados en la pizarra por la tiza, movida a su vez por la mano del profesor.

En las imágenes mentales la estructura es la pantalla mental y el proceso es la acción intelectiva que genera la figura. Para generar una imagen es conveniente organizar el conjunto con pocas unidades, es decir, simplificar al máximo la presencia de los rasgos informativos. Una casa debe ser imaginada con todas sus características esenciales, sin que se deban construir los detalles minuciosos como las incrustaciones de una puerta o los cierres de las ventanas. Sólo si estos detalles afloraran de forma espontánea sería conveniente aceptarlos.

Mantener

Para mantener la imagen, son aconsejables dos técnicas. La primera consiste en activar el proceso de continua reconstrucción (en inglés *regenerate*) imaginando aportar continuamente lo que, figurativamente, tiende a desvanecerse. En la segunda técnica podemos imaginar que estamos hojeando un álbum o un cuaderno en el cual las imágenes son todas iguales. El mantenimiento es válido sólo para aquellas figuras que se quieren mantener fijas, es decir, estáticas, mientras que para aquellas que se suceden como en una película, el proceso de regeneración es espontáneo, estando la secuencia compuesta de numerosos cuadros estáticos en continuo movimiento.

Inspeccionar

Por inspeccionar se entiende desplazar la atención sobre las diversas áreas que interesan, exactamente como cuando miramos un paisaje. En esta fase se pueden acercar o alejar los objetos, y se puede desencadenar la acción del catalejo, aproximar aquello que aparece lejano, o bien la del microscopio, engrandecer lo que visualmente es pequeño. Por ejemplo, una mosca puede agrandarse tanto que puede llegar a cubrir la parte central de la pantalla visual o incluso más, hasta que en ella sólo se vea una pata. En este proceso se pueden captar los detalles que, de lo contrario, no aparecerían.

Manipular

Por manipular se entiende proceder de una forma interactiva. Por ejemplo, la figura de una pirámide puede hacerse rodar, mostrando cada vez una parte distinta de su superficie. Así un plato visto desde su parte interior puede hacerse girar 180 grados para poderlo ver por debajo. Se puede pensar en abrir una puerta para coger lo que está al otro lado de ella.

La manipulación no siempre actúa, pero sí representa la acción mental más interesante en el ámbito de la creación de las imágenes mentales.

Antes de pasar a los ejercicios prácticos, agrupemos las palabras (junto con su traducción en inglés) que se utilizan en el ámbito de las imágenes en la mente.

Image	Imagen	*Picture*	Pintar
Scan	Escanear	*Look for*	Inspeccionar
Put	Colocar	*Zoom*	Acercar
Find	Encontrar	*Pan*	Alejar

Orientación fenoménica

Una palabra o un enunciado escrito en dirección hacia arriba y hacia la derecha indica un movimiento positivo de logro o crecimiento y de camino adecuado hacia el objetivo establecido.

A la parte izquierda de la pantalla mental (y también de una pantalla real) se le atribuye el lugar del pasado, mientras que la parte derecha representa el futuro:

PASADO	FUTURO

Al tener que colocar un recuerdo (o mejor dicho, las imágenes del recuerdo) es conveniente visualizarlo a la izquierda, mientras que una proposición es conveniente colocarla a la derecha. Idealmente, el conjunto de la pantalla representa el presente.

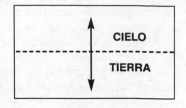

La parte alta de la pantalla mental está considerada el área de aquello que se dirige al cielo, a lo etéreo, a lo evanescente y ligero, mientras que la parte baja indica lo terrestre, lo material y pesado. Para realizar la introspección, para buscar dentro de nuestra propia interioridad una respuesta, para alcanzar el corazón del propio Yo, el viaje debe imaginarse de derecha a izquierda. Una imagen característica es la de aquel sabio que ilumina su camino con la lámpara del propio conocimiento, como la figura del arcano número 9 de la baraja del Tarot.

Para agrandar o acercar una imagen icónica o enunciativa, es preciso colocarla en el horizonte, es decir, posicionarla sobre una línea ho-

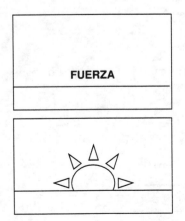

rizontal que divide la pantalla en dos partes.

En efecto, cuando el sol y la luna se encuentran en el horizonte, estos nos parecen más grandes y cercanos. Nuestra psique está estructurada de manera tal que acepta esta ambigüedad relativa a la grandeza fenoménica y a la amplitud óptica.

Son las sombras las que proporcionan la idea de estar pegado a la tierra o elevado. Cualquier objeto colocado por casualidad en una pantalla se nos aparece como apoyado (a), pero si junto a él aparece representada una sombra separada, el mismo objeto parece elevarse a media altura (b).

En (c) se observa cómo una palabra parece estar levantada desde el momento que proyecta su sombra por separado. Si queremos imaginar que salimos de nosotros mismos, debemos hacer que nuestro cuerpo asuma el rol de sombra y ver otro Yo que lo supera.

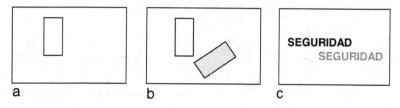

a   b   c

Ejercicios

Acercamiento

Colocad en el centro de un panel rectangular un pequeño círculo o una mancha negra e imaginaos que se agranda cada vez más hasta alcanzar los bordes (superior e inferior) de la pantalla mental.

Alejamiento

Realizad lo contrario: partid de un gran círculo y empequeñecedlo.

Variantes

Realizad ejercicios de acercamiento o alejamiento con otras figuras geométricas simples (triángulo, cuadrado, rombo...).

Activación gradual

Dividid la pantalla en dos partes horizontales, la superior será visualizada de color azul para representar el cielo y la inferior de color verde para indicar la tierra.

Añadiduras

Añadid, a un prado, un árbol, luego una casa y después un perro.

Movimiento

Visualizad el cielo con las nubes en movimiento, el árbol con las hojas que susurran y el perro que corre por la hierba.

Pegado

Visualizad un rectángulo, luego pegad en la parte superior un triángulo para obtener la figura de al lado. A continuación borrad la pantalla y visualizad un rectángulo vertical con una base muy estrecha. Encolad luego un círculo en la parte superior para obtener esta figura.

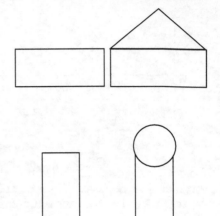

Borrad de nuevo la pantalla y visualizad un sobre de carta sobre el que pegaréis un sello.

Transferencia

Dividid la pantalla mental con una línea vertical consiguiendo dos zonas iguales, una derecha y otra izquierda.

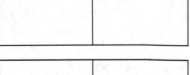

Colocad luego un círculo negro en la parte de la izquierda.

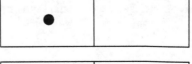

Por último, desplazad el círculo negro a la zona de la derecha.

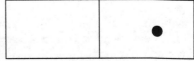

Probad con otras figuras y seguid dividiendo la pantalla de manera horizontal o en diagonal, desplazando el objeto de un campo al otro.

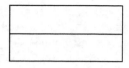

Fracción interna

Visualizad un rectángulo que dividiréis en cuatro partes trazando una cruz en su interior.

Cada uno de los cuatro rectángulos lo dividiréis en cuatro partes y continuaréis así hasta que os sea posible.

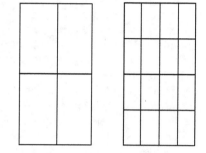

Fracción externa

Visualizad en la pantalla mental un triángulo equilátero.

Dividid cada lado en tres partes construyendo sobre cada lado otro triángulo equilátero; continuad dividiendo y construyendo triángulos cada vez más pequeños.

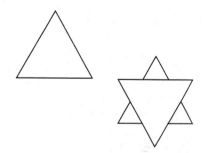

Gimnasia visualizada

La utilidad de la gimnasia es, hoy en día, conocida por todos; cada vez que se ejecuta un movimiento gimnástico, se estimulan de manera apropiada y saludable los diferentes músculos del cuerpo.

Con el movimiento, el motor, la actividad deportiva, el cuerpo se mantiene sano y se evitan o se retrasan achaques y enfermedades. El entrenamiento es, pues, de vital importancia en las actividades agonísticas; los deportistas dedican cada día una parte de su tiempo a entrenar los músculos con el fin de estar en forma en el momento de la competición. En cuanto al cerebro, la situación es parecida: cuanta más información intentamos almacenar, más entrenamos a nuestra mente, más mejoramos la memoria. La actividad cerebral, el estudio, el aprendizaje, desarrollan la capacidad y el rendimiento del cerebro. Sabemos que si un brazo no es utilizado, se atrofia hasta el punto de no poderlo utilizar, mientras que, por el contrario, un uso intensivo lo fortalecerá y lo estimulará. Si analizamos la evolución animal, veremos que, a lo largo de los siglos, algunas partes del cuerpo físico han cambiado para permitir al animal su supervivencia y la continuación de la especie. El ejercicio adecuado consiste en entrenar la propia mente, utilizando como principio la gimnasia tradicional, es decir, aquellos ejercicios que nos enseñaron en la escuela en las horas de educación física. Por la mañana, apenas os levantéis, realizad algunos ejercicios gimnásticos, por ejemplo algunas flexiones o movimientos rotatorios con los brazos, o bien doblad las piernas, etc. Que cada uno realice aquellos ejercicios que le resulten más convenientes; para las personas mayores y que no están entrenadas, los movimientos serán lentos y sencillos, como la rotación de las muñecas, mover la cabeza a derecha e izquierda, abrir y cerrar los ojos, etc. Lo que importa es que los ejercicios sean variados para que no se repitan y sean siempre los mismos cada mañana. La diversidad, la novedad, evitan el aburrimiento de tener que repetir cada mañana los ejercicios siempre iguales. Por la noche, en cuanto os acostéis, realizad una relajación, comenzando con algunas respiraciones lentas y profundas, para pasar a efectuar mentalmente la gimnasia que hacéis por la mañana. Tenéis que pensar en repetir los movimientos, visualizando, vosotros mismos, que los estáis ejecutando.

Ya veréis cómo todo resultará muy fácil, de hecho no hacéis más que revivir un pasado próximo. Este ejercicio está destinado, principalmente, a la psique, y pone de relevancia que el pensamiento es una gran e inmensa energía que puede abrir camino a nuevos conocimientos. Una variante del ejercicio consiste en asumir determinadas posiciones: por ejemplo, levantar un brazo y girar la cabeza hacia un lado y luego mantenerse en esta postura durante unos minutos. Es importante que no se verifique ninguna sensación de dolor o aburrimiento; después de los primeros segundos, la posición debe resultar agradable y relajante. A este ejercicio se le denomina «Esquema corporal» y es muy útil porque facilita la representación mental, que debe efectuarse (igual que en el ejercicio precedente) por la noche, antes de acostarse.

DEL PENSAMIENTO
POSITIVO
AL CREATIVO

> *Para el hombre es hermoso aquello*
> *cuyas partes responden debidamente,*
> *porque de su armonía resulta el placer.*
> DANTE ALIGHIERI

Si es cierto que nosotros somos aquello que pensamos y que no es posible no pensar, ya que, pensar en no pensar indica que estamos pensando, que es el pensamiento que se piensa a sí mismo, entonces no nos queda más que educar la mente y pensar positivamente, tal como la sabiduría oriental nos enseña: «Estoy cansado de pensar —pensó— y también ese pensamiento lo cansó». Es preciso aprender a reaccionar diversamente y hacer frente a las debilidades de manera positiva. La vía maestra para vivir serenamente nuestra existencia es la de educar «nuestro modo de pensar», porque el pensamiento crea nuestro futuro. Para empezar, es necesario aprender a apreciar lo que se tiene, en lugar de lamentarse por aquello que no se tiene; es la metáfora del vaso medio lleno o medio vacío lo que hace que la bebida sea un don o un castigo, por eso la sabiduría se diferencia en la comprensión de aquello que se puede hacer de aquello que es irrealizable. «El invierno trae el frío y nos entumecemos; el verano, por el contrario, trae el calor y sudamos [...] no podemos modificar esta realidad [...]. No se debe sufrir por lo que no se puede reparar» (Séneca, 4 a. de C. - 65 d. de C.). Ser positivo es el resultado de la inversión de la negatividad, y en el Evangelio según San Mateo, podemos leer: «Quien teme perder la vida ya está muerto, y aquel que no teme a la muerte vivirá eternamente». En estas frases se descubre la paradoja contenida en dos conceptos siempre alejados entre ellos, pero al mismo tiempo colindantes en los procesos mentales y que adopta el nombre de *bisociación*, como señala A. Koestler en *El acto de la creación*: «Es la percepción de una situación o de una idea en dos sistemas de referencia internamente coherentes pero habitualmente incompatibles» (1964). En el taoísmo filosófico, encontramos numerosas paradojas como las siguientes: la plenitud del vacío, el conocimiento de la nada, ser activamente pasivos, ser dinámicamente inmóviles. También en la deducción metafísica de Fichte (1762-1814) se descubren ideas paradójicas: «El Yo no es sólo finito sino también infinito. Lo demuestra su infinita actividad, espontaneidad, libertad». En el pensamiento radica la fuente del propio existir, así lo afirma Kant (1724-1804): «En el "Yo pienso" radica el principio supremo de todo el conocimiento. El "Yo pienso" es un acto de determinación existencial, que supone ya dada la existencia».

La realidad que vivimos nace en nuestra mente, y el pensamiento es una poderosa energía que, como tal, está en condiciones de activar el cambio. La percepción de la vida se debe al continuo flujo de pensamientos que genera nuestra mente. Cada pensamiento debe ser una entidad temporal que en su fluir realiza su continua adaptación al pensamiento universal. Entonces podemos aunar el pensamiento positivo con el ser optimistas. El optimismo ayuda a vivir mejor, y el hecho de pensar positivamente es el inicio de un proceso evolutivo. Pero eso no es suficiente, pues para ciertos individuos querer creer a toda costa que todo va viento en popa cuando en realidad eso no es así, puede comportar desengaños. Lo importante es poder realizar verdaderamente el cambio y pasar del «pensamiento positivo» inicial al siguiente «pensamiento creativo»; el primero indica el proyecto, el modelo adecuado de referencia, mientras que el pensamiento creativo indica la fase de realización hasta alcanzar realmente el cambio.

El primer hecho positivo podemos descubrirlo en la certeza de poder contar con un potencial que cada uno de nosotros posee. Después es preciso no contentarse con el hecho de pensar en positivo, sino que se debe practicar, actuar, estar mejor.

Para asegurarse de que se ha atravesado el umbral de la fase positiva y que se ha alcanzado la fase creativa, no queda más que comprobarlo y, con este fin, podemos tener en cuenta lo que la meditación taoísta nos indica como medio de control:

- si os sentís en un estado de tranquilidad y serenidad, eso es bueno;
- si tenéis la sensación de que toda la tierra es un mundo de luz, eso es bueno;
- si no encontráis nada desagradable en la creación, eso es bueno. La autoestima se puede mejorar, el médico que llevamos en

nosotros puede ser activado y el maestro interior no espera nada más que nuestra visita. En los momento difíciles, tranquilízate, detente y escucha la voz interior, y pon en práctica lo que se te diga.

PENSAMIENTO NEGATIVO	PENSAMIENTO POSITIVO	PENSAMIENTO CREATIVO
no sé nada	puedo aprender	estoy dispuesto ahora mismo a aprender
no soy capaz	seré capaz	me pongo en marcha para desarrollar mis actitudes
siempre digo estupideces	hablaré sabiamente	recurro enseguida a mi saber
será un fracaso	será un éxito	daré lo máximo de mí
esta vez también saldrá mal	esta vez saldrá muy bien	construyo paso a paso mi éxito
enfermaré	estaré bien	yo soy dueño de mi salud
soy débil	soy fuerte	soy dueño de mis fuerzas y lo demostraré ahora mismo
no consigo cambiar	estoy en condiciones de cambiar	estoy cambiando
tengo mucho frío	la temperatura es agradable	activo de inmediato mediante autocontrol la agradable sensación de tibieza

Los elementos del recorrido del pensamiento creativo se pueden resumir en cinco puntos:

1. motivaciones claras y positivas;
2. presencia de aspectos sentimentales y gratificantes;
3. concienciación de la segura posibilidad de alcanzar el objetivo prefijado;
4. certeza de la posibilidad de realizar el cambio;
5. dedicación a la causa teniendo en cuenta los esfuerzos requeridos para obtener los nuevos valores.

HIPNOSIS
Y SEXTO SENTIDO

> *He dicho en sueños*
> *cosas que hubiese dicho en privado*
> *durante la vigilia.*
>
> VOLTAIRE

Se sabe que, durante las sesiones de hipnosis, se activan en muchas personas facultades calificadas como extrasensoriales, como la telepatía, la clarividencia, la precognición, etc. «Los fenómenos parapsicológicos o metafísicos, como otros los llaman, hallados en el estado de trance hipnótico son numerosísimos, y abarcan desde la percepción extrasensorial, la bilocación, la regresión de edad... hasta la época incluso prenatal» (F. Granone, 1963).

El estado hipnótico se considera «que facilita» la activación de facultades mentales que normalmente están adormecidas o que, por ese motivo, son llamadas paranormales.

La hipnosis se aplica normalmente en los laboratorios de investigación ESP y yo mismo la aplico desde hace muchos años, precisamente porque está en condiciones de despertar en los individuos aquellas facultades extrasensoriales que, en el estado de vigilia, no son exteriorizadas. Las personas se sorprenden de sus propias dotes paranormales y de la facilidad con la cual activan fenómenos precognitivos, vigentes y telepáticos y, de un modo especial, aquellas facultades que les resultan más afines, es decir, aquellas hacia las cuales los individuos en cuestión están más predispuestos.

Con la hipnosis es posible conseguir que afloren las facultades ESP, porque el sujeto es conducido, a través de las sugestiones, a un estado diversificado de conciencia tal, que permanece activa su parte inconsciente, sin que la parte consciente racional pueda interferir. El sujeto, en hipnosis, no estando limitado por su parte racional, puede exteriorizar facultades que se extienden más allá de los propios límites sensoriales. Por esta razón, la parapsicología se interesa por el hipnotismo. La utilización de la hipnosis se convierte de este modo en una válida ayuda en el campo de la investigación ESP, aunque no resulta indispensable.

Ya en el siglo XIX los hipnotizadores observaron cómo los fenómenos paranormales afloraban o se agrandaban debido al efecto hipnótico.

Quienes se interesaron por estos fenómenos fueron, en primer lugar, aquellos que, además de interesarse por la hipnosis se dedicaban también a la parapsicología (Puysegur, Boizet, Richet, Janet, Ochoorowicz). Entre ellos, cabe destacar, por su posición de académico, Pierre Janet (1859-1946), que en el libro *Automatisme psychologique*, de 1889, relata los experimentos de hipnosis a distancia, es decir, telepáticamente, realizados por él a una paciente histérica, llamada Leonil. «Dupotet (1826) y Lafontaine (1845) aportan pruebas irrefutables acerca de la transmisión de pensamiento; y más tarde se incorporaron a dichas pruebas las experiencias de Janet y de Gilbert; las intermedias de Héricourt (1878), que durmió a un sujeto a trescientos metros de distancia; las expuestas por Dusart (1875), que tuvieron efecto a una distancia de diez kilómetros, y las de Richet, que realizó cuando era interno del hospital Beaujon, y que lo llevaron a considerar como verdadero un hecho que, por aquel entonces (1873), escapaba, según él, a la determinación científica» (V. Scozzi, 1901).

Hipnosis y telepatía

Entre todas las facultades extrasensoriales, la facultad telepática es la que con mayor frecuencia se instaura espontáneamente entre el hipnotizador y el hipnotizado y, por ese motivo, es la más probada desde el punto de vista experimental. Parece ser que, en el proceso hipnótico, entre quien conduce y quien es conducido se establece una especie de fusión mental, una completa unión del pensamiento, casi como una complicidad inconsciente de sentirse una sola mente. Eso sucede a menudo, también en psicoterapia, por lo tanto fuera del ámbito hipnótico, y también en la vida cotidiana entre parejas que están muy unidas, tal como un científico mexicano, el neuropsicólogo Jacobo Grinberg, demostró en los años noventa del pasado siglo XX, con un estudio realizado a una pareja de novios.

Así lo explica el docente mexicano: «Es muy simple: cuando dos personas están enamoradas, sus cerebros están conectados entre ellos» (P. L. Vercesi, 1994). Esta particular actitud de comunicar mentalmente puede detectarse también entre amigos y personas que tienen mucha confianza entre ellas. Por eso, a menudo, los experimentos de telehipnosis se realizan en sujetos que ya han ensayado, y no durante la primera sesión, aunque personalmente, a espaldas del sujeto, yo les envío sugestiones telepáticas ya desde los test preliminares, probando poco a poco la respuesta de su ítem hipnótico.

Una explicación a propósito de la comunicación telepática es la determinada por Ochorowick (1850-1917) con la «ley de reversibilidad». Este sostiene que el pensamiento se refleja en el ambiente y representa un «correlativo dinámico» que, por ejemplo, en el contexto hipnótico «del sueño que se desea producir mediante una orden mental a distancia, tal como sucede en los experimentos de Janet y de Gilbert, se expande por el entorno, pero no como una sustancia que se transporta, sino como una onda que se propaga y se transforma cada vez más, en función de la diferencia y de la resistencia de los medios que atraviesa; y cuando encuentra un medio análogo u otra condición necesaria para llevar a cabo una transformación reversible, reconstituye, en ese lugar, la idea originaria o el mando sugestivo del sueño.

»El medio análogo sobre el cual es posible actuar es el cerebro del sujeto que se encuentra en comunicación con el hipnotizador, es decir, que posee el tono dinámico correspondiente al del hipnotizador, por costumbre, por educación, por sensibilidad adquirida por las determinadas acciones mínimas de pensamiento» (V. Scozzi, 1901).

El profesor de Física de la Universidad de Perugia (Italia), Enrico Dal Pozzo di Mombello, también llegó, en 1885, a conclusiones muy parecidas, al formular la ley de la radiación humana, en la cual se afirmaba que el hombre ejerce sobre los demás seres vivos y sobre los cuerpos inanimados las influencias de la propia voluntad.

También Freud tomó en consideración la telepatía y, de un modo más generalizado, los fenómenos paranormales, pues en su escrito *Sueño y telepatía*, sostiene la existencia de una estrecha relación entre la actividad onírica y el desencadenamiento de la facultad telepática. Él mismo fue testigo de episodios en los que sus pacientes habían desarrollado fenómenos telepáticos.

Freud trabajó también los fenómenos telepáticos que se establecen entre el paciente y el analista. Para explicar la telepatía recurrió a la hipótesis de un antiguo vínculo que, en el pasado, permitía a los hombres comunicarse sin necesidad de tener que recurrir a los sentidos, y consideró que esa posibilidad se había ido debilitando a lo largo del proceso evolutivo filogenético, pero que en algunas personas, en determinadas situaciones de necesidad, era retomada y reutilizada.

En otro ámbito en el cual, por parte de los psicoanalistas, se han realizado estudios sobre los efectos telepáticos es en la relación que se establece entre la madre y el hijo neonato. En el ámbito del fenómeno llamado *preocupación materna primaria*, J. Ehrenwald identificaba como «invasiones heteropsíquicas» aquellas situaciones en que la madre percibe las necesidades del propio hijo por vía extrasensorial. Como se suele decir: nada nuevo bajo el sol. De hecho, ya Marsilio Ficino (1433-1499) se refirió a la interacción comunicativa a distancia, y escribió: «El espíritu humano animado por violentos deseos puede actuar no sólo sobre su propio cuerpo, sino también sobre otro cuerpo cercano, sobre todo si ese cuerpo es parecido al suyo por su naturaleza y es más débil».

¿Y qué decir de la teleanestesia quirúrgica mediante la hipnosis practicada por el profesor Levon Mirahorian en 1957, cuyo resultado fue expuesto con ocasión de la Reunión Científica Internacional del AISM en Florencia, el 9 de julio de 1957? El sujeto, sometido a una analgesia a distancia, era el doctor P. Stavar, al que le fue practicada la resección de la sexta a la décima costilla, con el levantamiento de la caja torácica e incisiones en los tejidos.

A continuación exponemos algunos de los experimentos de telehipnosis que determinan los posibles experimentos relativos a la posibilidad de llevar a cabo una investigación seria en el ámbito de la hipnosis.

Desplazamiento del punto de fijación

El sujeto, después de haber alcanzado un leve estado hipnótico, deberá estar en condiciones de percibir cuándo la mirada del hipnotizador se dirige hacia la espalda y cuándo no. Deberá también percibir qué punto es el fijado por el hipnotizador. Una variante consiste en sugerirle que tendrá la sensación de ser tocado en determinadas zonas de la espalda y que, cuando eso se produzca, deberá decirlo; en realidad, el hipnotizador fijará la mirada con intensidad sólo en la zona interesada.

Hallazgo del objeto escondido

El hipnotizador esconderá un objeto a espaldas del sujeto. Este, después de haber sido hipnotizado, con los ojos abiertos, deberá dejarse guiar por el hipnotizador, hasta que encuentre el objeto. Una variante consiste en hacerle mantener los ojos cerrados, mientras el hipnotizador, colocado detrás de él, mantiene las manos cerca de la cabeza, sin tocarla.

Acción teledirigida

Se colocará un vaso de agua sobre una mesa, el hipnotizador guiará mentalmente al sujeto mediante hipnosis hacia la mesa, sugiriéndole que beba agua porque tiene sed. Una variante consiste en poner sobre la mesa una botella con agua junto a un vaso vacío y guiar mentalmente al sujeto para que vierta el agua en el vaso.

Cambio de asiento

En este experimento, el sujeto es conducido a través de la hipnosis a que se siente en una butaca y, luego, telepáticamente, se le ordena que se levante y vaya a sentarse a otra butaca.

Utilización del documento fotográfico

Es uno de los experimentos más antiguos utilizado en el pasado por grandes nombres del hipnotismo y que consiste en enviar las sugestiones mentalmente mirando una fotografía del sujeto, el cual se hallará en otra habitación o en un lugar lejano.

Es este caso es necesario que esté presente una tercera persona que verifique las acciones del sujeto que es conducido o guiado a través de la telehipnosis.

Las experiencias telepáticas entre sujeto e hipnotizador pueden ser de tipo directo, con el hipnotizador que asume el rol de agente y el hipnotizado que percibe; o bien de tipo indirecto, en el que el rol del hipnotizador será pasivo, es decir, ejercerá de director, mientras que una o más personas, unidas mentalmente con el sujeto en hipnosis, seguirán los experimentos telepáticos.

Experiencias personales de facultades extrasensoriales en el ámbito hipnótico

El estudio del trabajo hipnotizador no puede resolverse de una manera simple, ya que su actividad se presenta compleja y articulada. Cuanto más consigue extender el radio de acción y por tanto cognoscitivo, mejor será el resultado de tipo cualitativo. El ser humano es complejo y mutable, e intentar conocer estas características es tarea del investigador. El periodo en el cual se dedicó mucho tiempo a la investigación metapsíquica, recurriendo a la hipnosis, data de finales de los años setenta hasta la mitad de los ochenta. Se formó entonces un grupo de investigación y se seleccionaron unos individuos que ofrecían mayores garantías en el ámbito de los objetivos prefijados; la finalidad de la investigación era verificar la presencia o potenciar las facultades extrasensoriales en sujetos comunes (es decir, que no se consideraban sensitivos).

Por motivos de espacio, no es posible analizar todo el trabajo realizado, que está documentado por las actas redactadas durante la investigación. Se realizaron experiencias en las que, con sujetos no relacionados en modo alguno, yo procedía a la conducción completa, es decir, desde los preliminares, a la suministración de los diversos test hasta la profundización y la deshipnotización, con sólo la ayuda del pensamiento, es decir, mediante vía telepática. Resultados excelentes se alcanzaron con una mujer llamada Patricia, y no fue la única; otra mujer (Nicoletta) fue guiada a través de las sugestiones telepáticas durante una transmisión televisiva realizada en directo en una emisión local italiana. Otros campos paranormales en los que se llevaron a cabo investigaciones fueron los de la visión dermo-óptica,[1] facultad con la cual el sujeto en hipnosis percibe figuras mediante el contacto epidérmico. Por ejemplo, con las yemas de los dedos. Por lo que respecta a la visión dermo-óptica hay que destacar algunas sugerencias que permiten la difusión de dichas facultades ESP. Es conveniente que los objetos a identificar estén recubiertos de material transparente y colocados debajo de un cristal

---

1. La sensibilidad dermo-óptica es la facultad propia de algunos individuos para percibir, sin la ayuda del sentido de la vista, informaciones visuales. Se la denomina también *hiperestesia del tacto*, es decir, una elevada sensibilidad del tacto que predispone al individuo para recibir informaciones sensoriales que normalmente no son percibidas por ese sentido. A veces se la llama también *transportación sensorial visiva*, *vista extrarretínica* o *percepción paróptica* para indicar la posibilidad de percibir estímulos luminosos propios del ojo, concretamente de la retina.

de manera que no se pueda producir el contacto epidérmico para evitar así que el sujeto pueda identificar el color debido a una hipersensibilidad táctil.

El sujeto debe estar naturalmente imposibilitado para percibir las informaciones a través del sentido de la vista. Aconsejo para los primeros ejercicios que se pruebe con la diferencia de sensación «caliente-frío». Sabemos que los colores visibles son siete: rojo, naranja, amarillo, verde, azul, añil, violeta. Los colores rojo, naranja y amarillo se denominan colores cálidos, mientras que el azul, el añil y el violeta son colores fríos, por las sensaciones que envían a nuestra psique. El color verde está considerado neutro y, por lo tanto, en un principio no se utilizará. Se trata de distinguir los colores cálidos de los colores fríos, sin identificar su propio color. Sólo después de un cierto entrenamiento, se podrá identificar cada color, incluyendo también el verde, el blanco y el negro.

Con el tiempo se consigue identificar cada color, asociándolo instintivamente a sensaciones muy determinadas, que en la mayoría de los casos son muy parecidas a estas:

Rojo	calor, viveza, percepción de una mayor afluencia de sangre en los dedos.
Naranja	calor más acentuado, con sensación de fricción atenuada con respecto al rojo.
Amarillo	sensación de tibieza, menos áspero que el naranja.
Verde	sensación de espaciosidad.
Azul	sensación de amplitud.
Violeta	sensación etérea.
Blanco	muy liso, frío, reflectante.
Negro	muy áspero, cálido, absorbente.

Las sensaciones que hay que utilizar pueden ser de este tipo: «Está perfectamente en condiciones de captar las radiaciones que le llegan desde la superficie que está tocando, capta el color y las sensaciones que de ellos deriva.

Su vista se ha desplazado hacia las yemas de sus dedos y está en condiciones de ver a través de la piel». Una serie de interesantes experimentos se llevaron a cabo a través de la psicometría del ambiente;[2] se colocaba al sujeto en un lugar y se le aplicaba la hipnosis, invitándolo a que contara la historia de ese lugar con todos los sucesos que en él habían acontecido. Entre los lugares visitados recuerdo la iglesia Sacra de San Miguel y el monte Musinè, ambos en la provincia de Turín (Italia), considerados desde siempre lugares cargados de misterio.

Otro interesante capítulo de la investigación fue el dedicado a la comunicación con el mundo vegetal; de este también contamos con documentación.

En los años ochenta del pasado siglo XX, patenté un aparato electrónico denominado Biospeaker que permitía traducir las variaciones bioeléctricas de la planta en palabras con sentido. En esa época, mientras se llevaba a cabo la investigación mediante aparatos electrónicos, se realizaron experimentos de comunicación entre hombre y planta a través de la hipnosis. En todas las sesiones de hipnosis, el sujeto terminaba identificándose con la planta, que se colocaba cerca de él, y describía todas las sensaciones como si él mismo fuera el vegetal puesto a prueba. Exponemos a continuación algunas sugestiones utilizadas durante esos experimentos: «Muy bien, ahora ponga su atención en la planta y concéntrese en ella, piénsela con intensidad. Ahora, lentamente, empiece a recibir sensaciones, la planta le envía sensaciones que usted está perfectamente en condiciones de recibir. Entre usted y la planta se está creando un vínculo muy fuerte [para facilitar el ejercicio es conveniente tocar con la mano una hoja de la planta].

»El vínculo entre usted y la planta es cada vez más fuerte, las sensaciones que percibe son cada vez más nítidas. Ahora está perfectamente en condiciones de percibir claramente cada sensación que le llega de la planta. Es capaz de comprender cuáles son sus exigencias, qué necesita, si el ambiente es favorable, si tiene necesidad de más luz...»

---

2. La psicometría indica el conocimiento de la historia de un objeto. El sujeto está en condiciones de revivir el pasado del objeto en examen, y muchas veces, también el pasado de las personas con las cuales ha estado en contacto. Con la psicometría la sensibilidad está en condiciones de recibir del objeto las sensaciones visuales, auditivas, táctiles, gustativas y olfativas. En ese sentido, la palabra *psicometría* quiere decir «lectura de un objeto». El objeto cuenta su historia y aquella de las personas a las que ha estado vinculado.

UNA COMUNICACIÓN CON LAS PLANTAS A TRAVÉS DE LA HIPNOSIS

HIPNOTIZADOR: Valerio (*H*)

SUJETO EN HIPNOSIS: María (*S*)

TOTAL PERSONAS PRESENTES: seis

PLANTA UTILIZADA: fusiforme roja, de poco más de un mes.

Características del sujeto: María, nacida en octubre de 1959, familiarizada con experiencias paranormales a lo largo de los años a través de un curso de dinámica mental, seguido de cursos de hipnosis y oniromancia. Se trata de un sujeto óptimo con especiales dotes de clarividencia y precognición. Siempre mediante hipnosis, ha realizado experimentos de bilocación, diagnosis a través de la fotografía, telepatía y regresión de memoria. Los resultados siempre han sido excelentes y estimulantes. Con esta experiencia se intentará comprender qué sensaciones percibe la planta con relación al ambiente circundante y, de manera particular, en contacto con seres humanos. Al sujeto se le aplica la hipnosis mediante la palabra clave que permite que el sujeto alcance de inmediato el sueño hipnótico profundo. Al sujeto se le imparten las sugestiones de ser él mismo la propia planta.

H: —¿Qué sensaciones siente?

S: —Ahora estoy bien, antes, sin embargo, tenía miedo.

H: —¿Miedo de qué?

S: —De que me aplastaran, porque no entendía qué estaba pasando (en aquel momento, Francesca, una persona que estaba presente en el experimento, sostenía la maceta con la palma de la mano y tocaba las hojas).

H: —¿Te gusta esta luz? (la habitación estaba iluminada por una luz azul, la utilizada normalmente durante las sesiones de hipnosis).

S: —Mejor la luz naranja.

H: —¿Ahora cómo estás?

S: —Ahora estoy bien, todavía tengo un poco de miedo, pero estoy mucho mejor. Ya se me ha pasado aquel temblor que tenía al principio, aunque las hojitas me tiemblan (ahora la maceta la sostiene el hipnotizador).

MarshallNonesohere.

(continuación)

H: —¿La intensidad de luz está mejor?
S: —Sí, al principio era demasiado intensa y demasiado directa (la intensidad de luz ha disminuido).
H: —¿Este ruido es de tu agrado? (en la habitación se escuchaba un sonido denominado ruido blanco, que es parecido a un murmullo).
S: —Es demasiado fuerte.
H: —¿Qué sientes?
S: —Vibraciones extrañas, no muy precisas.
H: —Cuando hay tormentas, ¿qué sientes?
S: —Siento sacudidas (el sujeto comienza a temblar y la respiración se acelera).
H: —¿Ahora cómo estás? (se ha producido un cambio de la persona que aguanta la maceta. Ahora la sostiene Francesca).
S: —De nuevo tengo miedo, tengo miedo de que alguien me rompa las hojas (con voz preocupada y angustiada).
H: —Durante las tormentas, ¿tienes miedo del rayo o del trueno?
S: —Del rayo, porque es como cuando entra dentro la electricidad (el sujeto se agita y tiembla de nuevo).
H: —¿La tierra de la que dispones te resulta suficiente?
S: —Necesito más, no hay suficiente espacio (de hecho, la plantita se encuentra en una maceta pequeña y desde el momento que fue adquirida ha doblado su tamaño).
H: —¿Estás contenta de estar aquí, en este lugar?
S: —Sí, este es un lugar muy tranquilo y relajante.
H: —Ahora ¿qué sensaciones tienes? (mientras tanto, Francesca le estaba enviando sensaciones telepáticas de amor).
S: —De calor.
H: —¿Te gusta la luz incluso de noche?
S: —No, entonces prefiero la oscuridad.
H: —Antes de estar aquí, ¿te acuerdas dónde estabas?
S: —En medio de tantas plantas, como en un invernadero y sobre una mesa en medio de otras plantas (el sujeto no estaba al corriente de la procedencia de la planta, que, de hecho, fue adquirida en un puesto del mercado, colocada sobre una especie de mesa y procedente de un invernadero).
H: —¿Estás mejor aquí o donde estabas antes?

(continuación)

> S: —Aquí, porque allí había poco espacio y, además, estaban to-
> das muy tristes.
> H: —¿Qué piensas ahora de las personas que te rodean?
> S: —Son muy curiosas y estúpidas.
> H: —¿Qué piensas de Valerio?
> S: —Me relaja mucho, cuando él está aquí hay mucha armonía,
> pero es preciso otra maceta, otra maceta... (a la planta se le ha
> prometido que se la cambiará de maceta lo antes posible).
> H: —¿Qué piensas de Silvana (otro sujeto que está presente),
> que en este momento te está tocando las hojas?
> S: —(Susurros incomprensibles) Tengo un poco de miedo, tengo
> miedo, tengo miedo (el sujeto se agita de nuevo).
> H:—¿Qué ha pasado? ¿Algo ha cambiado?
> S: —(El sujeto se lamenta sin responder).
> H: —¿Antes estabas más tranquila?
> S: —Sí.
> H:—¿Y ahora? (Francesca ha comprendido que la planta no
> quería ser agarrada por las manos de Silvana y aguanta ella la
> maceta, aguatándola delicadamente por debajo, sin tocar las ho-
> jas).
> S: —Mejor, me siento más segura.

Se llevaron a cabo otras investigaciones, siempre mediante hipnosis, relacionadas con el viaje astral,[3] la visión áurea y la clarividencia. Los resultados de aquel periodo de investigación parecen confir-
mar la hipótesis de una relación entre estado hipnótico e incremento
de la potencialidad de las facultades extrasensoriales: los datos reco-
gidos confirman dichas hipótesis.

---

3. Proyección astral, viaje astral, salida del cuerpo físico o, más comúnmente, desdoblamiento, que se
abrevia con las siglas OBE, o mejor aún OOBE, palabra compuesta por las iniciales inglesas de *out of
the body experience*, o bien *experiencia fuera del cuerpo*. Otras veces se le denomina experiencia *extraso-
mática* o *ectosomática*. Con el desdoblamiento, o viaje astral, el sujeto deja el cuerpo físico y adquiere
conciencia de existir en un plano distinto pudiendo alejarse según desee de su parte física.

GLOSARIO

ALUCINACIÓN. Experiencia sensorial desarrollada en ausencia de estímulos externos.

ALUCINACIONES HIPNÓTICAS NEGATIVAS. El hipnotizado no consigue percibir aquello que es real, por ejemplo no ve a una persona que está presente.

ALUCINACIONES HIPNÓTICAS POSITIVAS. El hipnotizado ve aquello que no está, por ejemplo ve un objeto o bien a una persona que no existe.

ARQUETIPO. Significa primer pensamiento o ejemplo con referencia a los símbolos principales: se trata de un concepto base, fijado en el inconsciente colectivo.

ASOCIACIÓN. Constituye la unión de imágenes, representaciones y pensamientos. Los tipos de asociación son tres. Asociación por contigüidad: estados de conciencia contemporáneos y sucesivos; asociación por semejanza: dos estados de conciencia con particularidades comunes; asociación por contraste: un estado de conciencia que produce su contrario.

AUTOSUGESTIÓN. Proceso psicológico a través del cual el individuo realiza una sugestión sobre sí mismo.

CLARIVIDENCIA. Facultad paranormal que permite percibir informaciones ubicadas en el momento presente sin la ayuda de los habituales órganos sensoriales.

COMPARACIÓN. Cotejo con la experiencia adquirida y los arquetipos.

CONCEPTO. La expresión mental de las características de uno o más objetos.

CONTENIDOS REPRIMIDOS. Son experiencias que colisionan con la conciencia y son aparentemente eliminadas, refugiándose en estratos más profundos del inconsciente.

COSTUMBRE. Comportamiento repetido que crea en el sujeto un estado de seguridad o lo paraliza en las elecciones innovadoras.

CREATIVIDAD. Capacidad de desarrollar facultades mentales innovadoras, artísticas o geniales de gran eficacia.

DESHIPNOTIZAR. Conducir a uno o más sujetos del estado hipnótico al estado de conciencia ordinaria. Se le denomina erróneamente *despertar*.

EGO. Es una organización psíquica, típicamente humana, que el individuo se estructura con relación a su percepción del ambiente y de sus actos motores. El Ego tiene, fundamentalmente, la tarea de la autoafirmación y la ejecuta extrayendo los datos de la experiencia, es decir, manteniendo lo que en un pasado le ha procurado placer y eliminando lo que, sin embargo, le ha acarreado dolor.

ELLO (O ID). Parte inconsciente de la personalidad, vinculada a los instintos (impulsos) fundamentales. Esta parte es amoral y acrítica. El hombre normalmente consigue equilibrar estos impulsos con su Yo, que opera racionalmente y se adecua a la realidad exterior.

ESP. Siglas que indican la percepción extrasensorial *(Extra Sensorial Perception)*.

EVOCACIÓN. El sujeto tiene una clara conciencia de que se trata de un recuerdo.

FACULTADES PARANORMALES. Posibilidad de poder obtener percepciones o de desarrollar fenómenos o influenciarlos más allá de los actuales conocimientos científicos.

FANTASÍA. La capacidad imaginativa más independiente de la realidad.

FENÓMENOS PARANORMALES. Todos aquellos fenómenos psíquicos que no pueden ser encuadrados científicamente.

FLEXIBILIDAD CÉREA HIPNÓTICA. Reacción que obtiene el sujeto cuando una parte del cuerpo, con frecuencia las extremidades, mantienen la posición que le ha hecho asumir el hipnotizador.

GESTALT. La Gestalt hace referencia a la escuela contemporánea llamada «de la forma», en la que el todo no es considerado la suma de las partes, sino un conjunto irreducible de los componentes que lo forman.

HEMICATALEPSIA HIPNÓTICA. Experimento hipnótico en el cual sólo una parte simétrica presenta la contractura muscular, por ejemplo, en la parte derecha de la cara los músculos están contraídos pero en la parte izquierda están relajados.

HIPERESTESIA HIPNÓTICA. Estado de amplificación de las percepciones que los estímulos externos provocan en el sujeto durante la hipnosis. Se avivan los sentidos y se puede producir una exaltación ante la irritabilidad de las fibras nerviosas sensitivas o hiperexcitabilidad de los centros nerviosos.

HIPNOCONCENTRACIÓN. Recurso de la hipnosis para actuar, en las mujeres, a través de una técnica hipnoconcentradora, sobre el control de natalidad. Es entendida como una infertilidad psicosomática provocada y, en particular, resulta indicada como «hipnorregulación natural de la natalidad».

HIPNODEMIA. No hay que confundirlo con hipnosipedia, y consiste en un conjunto de técnicas que utilizan las fases del sueño fisiológico para mejorar el aprendizaje.

HIPNOGRAFÍA. El sujeto en hipnosis produce dibujos, pinta, trabaja con arcilla, etc. Dichas actividades las realiza de forma automática.

HIPNOSIS. Del griego *hymnos* (sueño), se trata de un estado psico-físico diversificado de conciencia, inducido o autoinducido, en el cual se modifican los parámetros intelectivos, emotivos, representativos, volitivos y en general todo aquello que forma parte de la esfera psíquica.

HIPNOSIS CLÁSICA (IMPOSITIVA O DIRECTA). Postulados de test iniciales y su observación para suministrar y calibrar los ejercicios siguientes. Confianza es la palabra clave.

HIPNOSITERAPIA ANALGÉSICA. Aplicación de la técnica hipnótica apta para realizar la reducción o eliminación de la percepción dolorosa.

HIPNOTERAPIA. Un licenciado en medicina o psicología o en otras disciplinas de carácter académico que recurre a la hipnosis para curar o al ámbito de la utilización permitida por las propias competencias. Sabido es que un hipnoterapeuta es, dicho de otro modo, un hipnotizador.

HIPNOTISMO. El conjunto de los métodos, prácticas y conocimientos aptos para explicar los «hechos hipnóticos» y las posibilidades de inducir en una o más personas el estado hipnótico. Con hipnotismo se indican todos aquellos fenómenos que se encuentran en la hipnosis. Estudia todos los fenómenos concernientes a la sugestión consciente e inconsciente.

HIPNOTIZADO O MÉDIUM O SUJETO O ACTOR. Es un individuo en un estado alterado de conciencia que puede desarrollar facultades paranormales.

HIPNOTIZADOR. Individuo que además de conocer la práctica de la conducción hipnótica, estudia la hipnosis y las relativas conexiones, recurriendo también a la investigación.

HIPNOTIZAR. Inducir a una o más personas al estado hipnótico; en sentido literal significa «inducir a la hipnosis».

ILUSIÓN. La errada integración de una percepción que nos alcanza.

IMAGEN MNÉSTICA. Imagen fijada en la memoria.

IMÁGENES HIPNAGÓGICAS. Son las imágenes mentales que preceden al sueño fisiológico.

IMÁGENES HIPNOPÓMPICAS. Son las imágenes mentales que siguen a la salida del sueño fisiológico.

INCONSCIENTE COLECTIVO. Contiene las experiencias y los arquetipos de toda la humanidad: el contenedor cósmico donde se pueden recoger las experiencias y los pensamientos de todos los hombres que han vivido. Lo podemos definir como la mente de la especie.

INCONSCIENTE ESPIRITUAL. Es el viejo cerebro aún presente en el hombre y bien asentado y localizado por la medicina actual. Comprende todos los instintos. Es el inconsciente más profundo; no existe ni fe ni ley, sino sólo placer y defensa.

Comprende los instintos de conservación, de libertad y sexo. El inconsciente colectivo y el instintivo nunca puede enfermar, porque se hallan fuera de nuestra personalidad.

INCONSCIENTE PERSONAL. Es una supervista. Contiene nuestras experiencias vividas, los complejos, los miedos, las fobias, los remordimientos.

JUICIO. Reconocimiento del valor y no de los conceptos.

NEUROHIPNOLOGÍA. Rama de la medicina que estudia la relación entre la aplicación de la hipnosis y el sistema nervioso. El precursor fue Braid, el fundador de la hipnosis.

PERSONALIDAD. Es la afirmación de la propia individualidad como valor permanente e inmutable.

PRECONSCIENTE. Es la zona donde se agita el conjunto de hechos que, pese a no ser conscientes, se revelan a nivel consciente a través de sus efectos y repercusiones. Somatización (incluso infantil).

PROCESO HIPNÓTICO. Una sucesión de fases y postulados que están en condiciones de inducir fenómenos propios del estado hipnótico, produciéndose entre ellos un nexo secuencial. Indica una serie de operaciones determinadas por el hipnotizador que son adecuadas para conseguir el estado hipnótico.

PROYECCIÓN. Procedimiento con el que el sujeto sale de su propio Yo y reconoce en otros sus propias emociones, pensamientos o deseos que rechaza como suyos.

PUBLICIDAD. Sugestión aplicada a gran escala. Funciona sobre la fractura de nuestra psique. Una parte consciente de nosotros rechaza la credibilidad, mientras que una parte inconsciente acepta todo lo que nos es contado.

PUENTE CATALÉPTICO. Experimento hipnótico en el cual el sujeto, completamente agarrotado, es colocado entre dos soportes, sobre los cuales sólo se apoya por la nuca y los talones.

REALIDAD OBJETIVA. Elaboración de informaciones bioquímicas.

REALIDAD SUBJETIVA. Una reconstrucción de la psique unida a las informaciones sensoriales que recibe.

REGRESIÓN DE MEMORIA. El sujeto en hipnosis repasa su propio pasado manteniendo su conciencia en el presente.

REMINISCENCIA. El sujeto reproduce el pasado de manera más o menos consciente.

REVIVIFICACIÓN. Reproducción del pasado como si fuese presente.

RIGIDEZ CADAVÉRICA. Nombre dado a la prueba en la cual el sujeto es colocado entre dos sostenedores con los músculos del cuerpo contraídos, en lo que se denomina puente cataléptico o rigidez cataléptica generalizada.

SENSIBILIDAD HIPNÓTICA. Características individuales ante la respuesta de la instauración del estado hipnótico. Estas dependen de varios factores, entre ellos la personalidad del sujeto y el nivel de confianza que se establece con el hipnotizador. Cuanto mayor es la sensibilidad, más rápida será la travesía hipnótica.

SESIÓN HIPNÓTICA. Momento específico en el cual el hipnotizador guía al sujeto hacia el estado hipnótico, aplicando sus propios conocimientos. La duración es muy variable, pero la sesión puede durar aproximadamente entre 20 y 30 minutos.

SOMATIZACIÓN. Conversión de trastornos psicológicos en síntomas orgánicos.

SUBLIMINAL (O PERSUASIÓN OCULTA). Se trata de una información que no se percibe a nivel consciente, y por ello es aceptada porque no tiene posibilidad de ser desechada.

SUGESTIÓN. Del latín *subgero*, «llevar debajo»; introducir en el pensamiento de alguien algo que no posee o no sabe poseer. Significa: sugerencia, consejo.

SUGESTIÓN INFANTIL. La máxima capacidad de autosugestión se posee en los primeros años de vida (6-7 años) porque aún no hay barreras.

SUGESTIONES PSICOSOMÁTICAS. Son aquellas en las que el sujeto modifica los parámetros biológicos verificables. Así, por ejemplo, la sugestión de haber bebido una sustancia alcohólica, aunque de hecho se trate simplemente de agua, provoca la presencia de una tasa de alcohol en la sangre.

SUPERYÓ (O SUPEREGO). Está formado por la educación, el ambiente social, religioso, cultural, etc. En el superyó existen los prejuicios, está colmado de códigos, de moral. Este imparte las acciones porque está notablemente condicionado. Tiene el deber de censurar, cribar la labor del yo. Constituye la moral, los juicios, los ideales. Se comienza a formar en el periodo infantil, cargándose de estereotipos a los cuales hace referencia.

TIEMPO PSÍQUICO. La condición ideal para poder absorber las sensaciones que nos llegan del exterior.

TEST. Método de análisis o de valoración que, a través de determinados postulados, permite revelar características y comportamientos psicológicos del sujeto en examen.

TRANCE HIPNÓTICO. Estado diversificado de conciencia caracterizado por modificaciones más o menos acentuadas del comportamiento psicológico, caracterizado por una variada sensibilidad a los estímulos y a la disociación psíquica. Dicho término es más adecuado cuando nos referimos al médium.

TRANSDUCCIÓN. Conversión de energía o información de una cierta forma a otra distinta, por ejemplo la energía de la onda elástica que golpea la membrana de un micrófono que es transformada en variaciones eléctricas, o bien la energía mecánica en energía eléctrica o viceversa. Por ejemplo, en hipnosis, una sugestión verbal aceptada por la mente desencadena un proceso de transducción: del pensamiento a los impulsos nerviosos, de estos a los mensajes neuroendocrinos.

UMBRAL DE CONCIENCIA. Es el límite de atención, más allá del cual ya no se percibe nada de manera consciente.

VIDA CONSCIENTE. Conocimientos (reconocimiento); acción (la energía que empuja hacia el conocimiento); sentimiento (lo que se siente en el conocimiento).

YO CONSCIENTE. La parte consciente es el Yo. La conciencia es la actividad del sujeto que se reconoce en sus operaciones, es decir, se tiene conciencia cuando se sabe que se existe y de cómo se existe.

YO (O EGO). El Yo corresponde al Ego, que es la parte psíquica que se halla en relación con el mundo exterior e intenta atraer hacia él todas las ventajas, en detrimento de los demás. El Yo se basa en el dominio y la defensa.

BIBLIOGRAFÍA

VV. AA.: *Psicologia: conoscere se stessi e gli altri*, voll. 7, Roma, Armando Curcio.

ATKINSON, W. W.: *Suggestione autosuggestione*, Città di Castello, Libreria Vecchia Roma, 1988.

BANDLER, R. y J. GRINDER: *I modelli della tecnica ipnotica di M.H. Erickson*, Roma, Astrolabio, 1984.

BARADUC, H.: *La force vitale*, París, G. Carrè Editore, 1893.

BARBER, T. X.: *Ipnosi, un approccio scientifico*, Roma, Astrolabio-Ubaldini, 1972.

BELFIORE, G.: *Magnetismo ed Ipnotismo*, Milán, Hoepli, 1922.

BENDICELLI, V.: *A me gli occhi*, Milán, Campironi, 1974.

BERNHARDT, R. y D. MARTÍN: *Autoipnosi*, Milán, Siad Edizioni, 1978.

BLANCO, M.: *Inconscio come insieme infiniti*, Turín, Einaudi, 1981.

BONGARTZ, W.: *Ipnosi*, «Psicologia contemporanea», marzo-abril 1991, n.º 104.

BRAIKER, B. M.: *Parlate mai da soli?*, «Psicologia contemporanea», marzo-abril 1991, n.º 104.

COUÉ, E.: *Il dominio di se stessi*, Borgofranco d'Ivrea, 1924.

CROSA, G.: *Congresso Internazionale d'ipnosi e medicina psicosomatica*, 28-30 abril 1965.

CROSA, G.: *Congresso Internazionale d'ipnosi e medicina psicosomatica*, «Metapsichica», julio-diciembre 1965.

CUNICO, A.: *L'autosuggestione cosciente*, Turín, Meb, 1975.

DAL POZZO: *Trattato pratico di magnetismo animale*, Foligno, 1869.

DE LIGUORI, C.: *Ipnotismo in 20 lezioni*, Milán, De Vecchi Editore, 1971.

DISERTORI, B.: *Rapporti della parapsicologia con la neuropsichiatria, con la psicologia dell'inconscio e con la biologia*, «Giornale Italiano per la Ricerca Psichica», mayo-agosto 1963.

ELLEMBERGER, H. F.: *La scoperta dell'inconscio*, Turín, Boringhieri, 1972.

ERICKSON, M. H.: *La mia voce ti accompagnerà*, Roma, Astrolabio, 1983.

FRANCO, D.: *Ipnosi e visualizzazione*, «Problemi d'oggi», n.° 9, septiembre 1991.

FREUD, S.: *Ipnotismo e suggestione*, Roma, Newton Compton, 1976.

— *Metapsicologia*, Turín, Boringhieri, 1978.

— *Il sogno e scritti su ipnosi e suggestione*, Roma, Newton Compton, 1991.

GRANONE, F.: *L'ipnotismo come fenomeno biologico, mezzo di indagine e strumento terapeutico*, Turín, Boringhieri, 1962.

— «Ipnotismo e parapsicologia», conferencia impartida en el C.S.P de Boloña el 11-2-1963, publicada en *Giornale Italiano per la Ricerca Psichica,* septiembre-diciembre 1963.

— *Trattato di ipnosi*, vol. I, II, Turín, UTET, 1989.

HOPSON, J. L.: *Le molecole del benessere*, «Psicologia contemporanea», marzo-abril 1989.

JANET, P.: *L'automatisme psychologique*, París, Alcan, 1930.

KLAUST, T.: *Autoipnosi e training autogeno*, Roma, Edizioni Mediterranee.

KOESTLER, A.: *The act of creation*, Nueva York, The Macmillan Company, 1964.

KOSSLYN, S. M.: *Le immagini della mente*, Florencia, Giunti e Barbera, 1989.

LACQUANITI, R.: *Autoconoscenza*, Catania, Editrice Vidya, 1973.

LE CRON, M. L.: *L'autoipnosi*, Brescia, Edizioni PA, 1977.

MEGGLÈ, D.: *Psicoterapie brevi*, Como, Red Edizioni, 1988.

METZGER, W.: *I fondamenti della psicologia della Gestalt*, Florencia, Giunti e Barbera, 1941.

MIRAHORIAN, L.: *Teleanestesia chirurgica mediante ipnosi alla distanza di 165 km*, «Metapsichica», julio-diciembre 1959.

OBERHUBER, W.: *Ipnosi*, Milán, Franco Angeli, 2000.

PACKARD, V.: *I persuasori occulti*, Turín, Einaudi, 1958.

PARENTI, F. y F. FIORENZOLA: *Sogno, ipnosi, suggestione*, Milán, Feltrinelli, 1964.

PAVESE, R.: *Magnetismo, Ipnotismo e Suggestione*, «Metapsichica», enero-febrero-marzo 1947.
— *Strapotere del binomio «suggestione-monoideismo»*, «Metapsichica», abril-junio, 1959.
— *Teoria e practica dell'ipnotismo*, «Metapsichica», julio-diciembre 1959.
PAVESI, P. M. A. y G. MOSCÓN: *Tecniche ed aplicazioni dell'ipnosi medica*, Piccini Pastore, 1974.
PAVLOV, I. P.: *Riflessi condizionati*, Turín, Einaudi, 1957.
RAMACHARAKA, Y.: *L'arte di guarire con mezzi psichici*, Milán, Fratelli Bocca, 1946.
ROMERO, A.: *Ipnosi ed analisi esistenziale*, «Metapsichica», enero-junio Milán, Ceschina, 1965.
SANFO, V.: *Le facoltà paranormali*, Quart, Musumeci, 1984.
— *Corso pratico di Telepatia*, Milán, De Vecchi, 1987-1994.
— *Ipnosi cognitiva – rapporto di ricerca di regressioni di memoria*, Turín, A.E.ME.TRA, 1984.
— *Appunti di sociologia: la psicologia collettiva di Comte e Durkheim*, Turín, A.E.ME.TRA, 1995.
SCOZZI, V.: *La medianità*, Florencia, Bemporad, 1901.
SIMIONI, C.: *I segreti dell'ipnotismo*, Sondrio, Centro Von Tobel, 1964.
STAFFOLANI, G.: *L'equilibrio del corpo e l'equilibrio della mente sono interdipendenti*. n.° 2-3 febrero-marzo 1991, «Problemi d'oggi».
TART, T. C.: *Stati di coscienza*, Roma, Astrolabio, 1975-1977.
VERCESI, P. L.: *Amore ti parlo con il cervello*, «La Stampa», Turín, 1 febrero 1994.
WATZLAWICK, J. HELMICK BEAUVIN, Don D. JACKSON: *Pragmatica della comunicazione umana*, Roma, Astrolabio, 1967-1971.

Impreso en España por
BOOK PRINT DIGITAL, S.A.
08908 L'Hospitalet de Llobregat